La bibliothèque Gallimard

© Éditions Gallimard, 1925, 2003, pour l'accompagnement pédagogique de la présente édition.

Guillaume Apollinaire

Calligrammes

Lecture accompagnée par
Vincent Vivès
maître de conférences
à l'université d'Aix-Marseille I

La bibliothèque Gallimard

Florilège

«Du rouge au vert tout le jaune se meurt» («Ondes», *Les fenêtres*)

«Écoute Jacques c'est très sérieux ce que je vais te dire» («Ondes», *Lundi rue Christine*)

(«Ondes», *Cœur couronne et miroir*)

«Un poète dans la forêt
Regarde avec indifférence
  Son revolver au cran d'arrêt
Des roses mourir d'espérance» («Case d'Armons», *Fête*)

«Si la colombe poignardée
Saigne encore de ses refus
J'en plume les ailes l'idée
Et le poème que tu fus» («Lueurs des tirs», *Refus de la colombe*)

«La boucle des cheveux noirs de ta nuque est mon trésor» («Lueurs des tirs», *Fusée*)

Ouvertures

Qui êtes-vous Wilhelm de Kostrowitzky ?

Guillaume Apollinaire est mort à trente-huit ans, le 9 novembre 1918. Trente-huit ans auparavant naissait à Rome un certain Wilhelm Albert Wladimir Alexandre Apollinaire de Kostrowitzky, fils d'une aventurière polonaise ayant des papiers russes et d'un ancien officier du roi des Deux-Siciles qu'il ne connaîtra pas, Francesco Flugi d'Aspremont. Dans l'intervalle, Guillaume a eu le temps d'être journaliste, romancier, dramaturge et poète, de choisir la nationalité française et de prendre part à la plus meurtrière des guerres. Il s'est forgé un nom de guerre poétique, en reprenant de son grand-père maternel un de ses prénoms, qui évoque aussi un poète de langue latine né et mort en Gaule, Sidoine Apollinaire, contemporain de la chute définitive de Rome : c'est que Guillaume aime à jouer avec l'érudition. Il s'est aussi inventé l'un des noms propres les plus élégants de la littérature, en se parant de la grâce du plus beau des dieux de la Grèce antique, Apollon. Le dieu solaire irradie de tout son éclat la poésie lumineuse de Guillaume, le dieu à la lyre et le père de tous les arts, le dieu qui étincelle, brûle, séduit et dont Apollinaire va faire sien ses attributs.

Qu'a-t-il fait encore, qu'invente-t-il donc de plus ? Bien d'autres choses que vous allez découvrir en parcourant les pages qui suivent…

La situation poétique au début du xxᵉ siècle

L'héritage symboliste

Apollinaire ne naît pas tout auréolé des divins éclats d'Apollon. Sa poésie solaire, qui dans *Calligrammes* va trouver un éclat douloureux et gigantesque dans le ciel étoilé par les tirs des canons de la guerre, est aussi héritière d'un contexte littéraire qui a pour nom le symbolisme*. Le mouvement porté par Stéphane Mallarmé (mort en 1898) s'essouffle. Apollinaire lui rendra hommage dans *L'Enchanteur pourrissant* en sachant bien qu'il lui faut trouver ailleurs sa voix et qu'il chante avec la mort de Merlin l'enchanteur le chant du cygne de l'esthétique de sa jeunesse. Cependant, Guillaume va tenter de trouver une voix personnelle et d'innover sans renier les poètes qui l'ont précédé. Sa poésie, si intimement liée à la mélancolie des choses perdues, ne pouvait faire abstraction des mythes et des trésors antérieurs. Ainsi tente-t-il une synthèse entre révolution et continuité poétique :

《 C'est aux symbolistes que Verlaine et Mallarmé ont transmis la tradition, qui un moment était devenue le Parnasse. Les symbolistes furent les premiers objets de nos enthousiasmes. **》**

Guillaume tente aussi une synthèse entre les différents courants de la modernité qui naissent en ce début de nouveau siècle, mais sans vouloir choisir un mouvement plus qu'un autre. Refusant théories et doctrines de nombreux groupuscules, écoles, mouvements (« intégralisme », « impulsionisme », « paroxysme », « primitivisme », « futurisme », « cubisme », etc.), il choisit de composer avec tout le potentiel qui s'ouvre à lui. Tout simultanément pour que chante la lyre et que la vie résonne autrement et plus :

《 L'art doit avoir pour fondement la sincérité de l'émotion et la spontanéité de l'expression ; l'une et l'autre sont en relation directe avec la vie, qu'elles s'efforcent de magnifier esthétiquement. **》**

* Les mots signalés par un astérisque sont définis dans le glossaire.

Après *Alcools* : l'«Esprit nouveau»

Le recueil *Alcools* (1913) offre un nouveau lyrisme sans grandiloquence, fondé sur une mélancolie soutenue par un art de la versification qui joue subtilement entre règles classiques et renouvellement formel, ainsi que sur l'épanchement de la pensée et des sentiments d'un vers à l'autre sans que la ponctuation totalement absente ne vienne tarir l'effusion. Mais *Alcools* est fait d'une poésie qui n'a pas encore passé l'épreuve du feu, des tranchées, de la guerre. Les *Calligrammes* ajoutent au lyrisme initial de Guillaume une expérience de la modernité en ce qu'elle est bruit et fureur ; expérience à laquelle le poète va donner le nom d'«Esprit nouveau» avec sa conférence du 26 novembre 1917 : «L'esprit nouveau et les poètes». L'esprit nouveau «prétend avant tout hériter des classiques un solide bon sens, un esprit critique assuré, des vues d'ensemble sur l'univers et sur l'âme humaine, et le sens du devoir qui dépouille les sentiments et en limite ou plutôt en contient les manifestations. […] Il prétend encore hériter des romantiques une curiosité qui le pousse à explorer tous les domaines propres à fournir une matière littéraire qui permette d'exalter la vie sous quelque forme qu'elle se présente».

L'esprit nouveau veut revenir à la nature sans l'imiter. Il veut créer le réel ou ce qu'Apollinaire nomme la «surréalité». Quelle est-elle ? Voici un florilège extrait de la Préface des *Mamelles de Tirésias* qui en est le manifeste (1918) :

《 Quand l'homme a voulu imiter la marche, il a créé la roue qui ne lui ressemble pas à une jambe. Il a fait ainsi du surréalisme sans le savoir. 》

《 L'esprit nouveau exige qu'on se donne de ces tâches prophétiques. C'est pourquoi vous trouverez trace de prophétie dans la plupart des ouvrages conçus d'après l'esprit nouveau. Les jeux divins de la vie et de l'imagination donnent carrière à une captivité poétique toute nouvelle. 》

《 C'est que poésie et création ne sont qu'une même chose ; on ne doit appeler poète que celui qui invente, celui qui crée, dans la mesure où

7

l'homme peut créer. Le poète est celui qui découvre de nouvelles joies, fussent-elles pénibles à supporter. **》**

L'esprit nouveau est un engagement esthétique et moral qui tend à faire naître une nouvelle réalité et qui a besoin pour cela de nouveaux moyens que Guillaume Apollinaire va chercher dans tous les arts dont il tente une synthèse :

《 Les artifices typographiques poussés très loin avec une grande audace ont l'avantage de faire naître un lyrisme visuel qui était presque inconnu avant notre époque. Ces artifices peuvent aller très loin encore et consommer la synthèse des arts, de la musique, de la peinture et de la littérature. **》**

Les *Calligrammes* seront donc un journal de guerre, mais aussi une prophétie sur ce que devra ou devrait être le monde qui sortira du chaos international. La révolution dans les techniques que le poète intègre à travers la typographie, les images du phonographe et du télégraphe, doivent faire naître une nouvelle sensibilité :

《 Quoi ! on a radiographié ma tête. J'ai vu, moi vivant, mon crâne, et cela ne serait en rien de la nouveauté ? **》**

La Première Guerre mondiale a détruit des millions d'hommes ; elle a fait naître sur cet immense charnier une nouvelle réalité subjective et scientifique. Avec les *Calligrammes*, Apollinaire reprend son bien à la guerre, lui vole les innovations technologiques qu'elle-même avait prises aux soldats tués, et il rend ainsi aux soldats qu'il aime et qui sont morts les trésors qu'ils ont creusés dans les tranchées.

Apollinaire et les peintres

À partir de la fin de la première décennie du XXe siècle s'ouvre une ère de transformations esthétiques dans toute l'Europe. Recherches, manifestes, révolutions esthétiques : le vieux monde qui menace d'aller à sa perte vit pour l'instant une folle effervescence dans tous les arts. Ainsi voit-on naître des groupes, des écoles, des mouvements dont nous retiendrons les plus importants, qu'Apollinaire a aimés, portés, définis, et qui l'ont inspiré.

Le **futurisme** est un mouvement littéraire et pictural qui refuse le passé et adopte le dynamisme, la vitesse, le machinisme comme ressort de l'esthétique de la modernité. L'Italien Filippo Marinetti signe la naissance du mouvement en 1909 avec un manifeste publié en France, suivi en 1912 du *Manifeste technique de la littérature futuriste,* puis l'année suivante de l'*Imagination sans fils et les mots en liberté* où les futuristes préconisent une poésie du monde moderne fondée sur la vitesse, la technologie et un langage éclaté sans règle syntaxique. Ainsi le futurisme va évoluer vers le « bruitisme » et vers une réflexion typographique qui tente de transposer la fureur du monde moderne sans l'aide des mots. Pour les futuristes, la décomposition du mouvement en images simultanées doit donner le sentiment de vitesse. Apollinaire suivra leur voie pour l'expressivité des caractères typographiques.

Le **simultanéisme** découle directement du futurisme qui s'est principalement exprimé dans la peinture et la poésie. On ne saurait trouver de définition unique de ce courant : nombreux sont les artistes qui ont usé de ce mot dans des acceptions assez différentes. Pour le peintre Robert Delaunay, le simultané est affaire de rapport de couleurs qui donnent différentes valeurs à un objet. Sa femme, Sonia Delaunay, peintre et décoratrice, crée avec le poète Blaise Cendrars un livre simultané, *La Prose du Transsibérien* (1913), où se trouvent réunis couleurs et vers sur un même ruban de papier long de deux mètres et large de trente-six centimètres. Apollinaire, qui est un habitué de l'atelier des Delaunay, naturalise dans la poésie le simultanéisme comme dans les fameuses *Fenêtres* où il tente une synthèse entre simultanéisme des couleurs et de l'espace temps :

> Vancouver
> Où le train blanc de neige et de feux nocturnes fuit l'heure
> Ô Paris
> Du rouge au vert le jaune se meurt
> Paris Vancouver Hyères Maintenon New-York et les Antilles
> La fenêtre s'ouvre comme une orange
> Le beau fruit de la lumière

9

Le **cubisme** naît d'une réaction à la peinture classique et impressionniste grâce à la conjonction de plusieurs événements : la rétrospective de Paul Cézanne en 1907, les expositions d'art nègre, d'art primitif et des peintres fauves*. C'est de cette époque que date l'abandon de l'espace pictural hérité de la Renaissance et de la loi de la perspective qui avait régi la représentation des tableaux. Le cubisme veut réaliser une réduction du réel à ses formes fondamentales et utilise de façon emblématique des fragments isolés du monde visible. Il montre toutes les faces d'un objet, y compris celles qu'on ne voit pas mais que l'on connaît par expérience.

Ainsi les cubistes, amis d'Apollinaire, expérimentent une réalité absolue qu'ils créent. Cette conception de l'artiste démiurge* est totalement reprise par le poète dans les *Calligrammes* (ainsi dit-il « ce qui différencie le cubisme de l'ancienne peinture, c'est qu'il n'est pas un art d'imitation, mais un art de conception qui tend à s'élever jusqu'à la création ») mais aussi dans *Les Mamelles de Tirésias*, pièce de théâtre où des situations se passent en même temps dans différents lieux. Le cubisme est marqué par des peintres tels que Pablo Picasso et ses *Demoiselles d'Avignon* (1907), Georges Braque ou encore Juan Gris (que l'on retrouve dans *La colombe poignardée et le jet d'eau*). Apollinaire s'est beaucoup intéressé à ce mouvement auquel il consacre un essai en 1913, *Les Peintres cubistes,* où il définit à la fois un nouvel art pictural et son art poétique :

《 Nous ne connaissons pas toutes les couleurs et chaque homme en invente de nouvelles. Mais le peintre doit avant tout donner le spectacle de sa propre divinité et les tableaux qu'il offre à l'admiration des hommes leur conféreront la gloire d'exercer aussi et momentanément leur propre divinité. [...] J'aime l'art d'aujourd'hui parce que j'aime toute la lumière et tous les hommes aiment avant tout la lumière, ils ont inventé le feu. **》**

Apollinaire entretient de nombreuses relations amicales parmi les peintres. Il écrit pour une exposition de Robert Delaunay, collabore avec Raoul Dufy pour le *Bestiaire*. L'influence de la peinture se fait sentir

Sous l'influence du cubisme, l'œuvre d'art répond à de nouveaux critères esthétiques : ainsi, on peut coller des éléments extérieurs sur la toile, comme c'est le cas dans ce *Violon et feuille de musique* de Pablo Picasso. On y trouve notamment une partition musicale qui s'intègre dans le cadre près des à-plats de couleur formant l'instrument de musique.

jusque dans son style : les premiers idéogrammes* lyriques qu'il compose mais dont la guerre arrêtera la publication sont regroupés dans un recueil que le poète avait intitulé *Et moi aussi je suis peintre*. Les *Calligrammes* seront une façon d'introduire la peinture dans la poésie et la poésie dans la peinture.

L'influence de la Grande Guerre

Traumatisme et renaissance

La Grande Guerre commence en 1914 par une succession d'agressions contre de nombreux pays qui, par le jeu des alliances, prennent initialement position pour la Serbie ou pour l'Autriche. La Russie mobilise pour soutenir la première, l'Allemagne lui déclare la guerre et envahit la Belgique, le Luxembourg et la France. La Grande-Bretagne entre en conflit avec les armées de Guillaume II, s'opposant à la Turquie qui choisit le camp inverse. En 1915, l'Italie s'unit aux Alliés ainsi que la Roumanie. La Bulgarie choisit l'Autriche. Enfin en 1917, Canada et États-Unis viennent au secours des Alliés. Cette guerre, commencée la fleur au fusil et dont on croyait qu'elle serait rapidement gagnée, s'enlise dans les tranchées et fait plus de neuf millions de morts. On s'entre-tue pour gagner quelques mètres, pour prendre une position qu'on reperd après. Puis la guerre devient scientifique et technologique : les gaz asphyxiants, les chars blindés et les avions font leur apparition. Quoique étant une grande boucherie, la guerre se révèle aussi un stimulant pour les sciences et l'industrie. La poésie d'Apollinaire rend bien compte de ce double visage de la guerre :

> Qui aurait dit qu'on pût être à ce point anthropophage
> Et qu'il fallût tant de feu pour rôtir le corps humain
>
> *(Merveille de la guerre)*

> Avant elle nous n'avions que la surface
> De la terre et des mers
> Après elle nous aurons les abîmes
> Le sous-sol et l'espace aviatique
> Maîtres du timon *(Guerre)*

Calligrammes, journal d'amour, de guerre et catalogue d'inventions

Le recueil des *Calligrammes* a été conçu entre la fin 1912 et 1917 en six parties qui rapportent, dans une chronologie approximative, les années de guerre et la vie amoureuse du poète, tout comme *Alcools*, le recueil antérieur, où «chacun de mes poèmes, assure Guillaume, est la commémoration d'un événement de ma vie».

Guillaume Apollinaire fut blessé à la tête pendant la Première Guerre mondiale. Vous le voyez ici, la tête entourée d'une bande, dans un hôpital militaire où il fut soigné.

Une foisonnante inventivité – Le **poème-conversation** est conçu à partir de bribes de conversations entendues dans la rue, à la terrasse d'un café, dans lequel « le poète au centre de la vie enregistre en quelque sorte le lyrisme ambiant ». Ainsi *Lundi rue Christine* est un poème né de la rencontre à une terrasse de café d'un ami qui devait partir le lendemain pour Tunis.

Le **poème simultané** traduit en littérature les recherches de la peinture cubiste. Le poème évoque simultanément des événements, des pensées et des sentiments qui se passent en même temps mais dans des lieux différents, liés à de multiples personnes (*Le musicien de Saint-Merry*).

Le **poème-carte postale** est écrit sur de véritables cartes postales envoyées à des amis, des parents ou des femmes aimées (la *Lettre-Océan* à Albert, son frère cadet qui partit en 1913 au Mexique et qui y mourut en 1919).

Histoire et culture au temps d'Apollinaire

	Histoire	Culture	Vie et œuvre d'Apollinaire
1880	Jules Ferry président du Conseil.	Maupassant, *Boule-de-Suif*. Verlaine, *Sagesse*. Mort de Flaubert.	Naissance à Rome.
1885		Mort de Victor Hugo. Émile Zola, *Germinal*.	Installation à Bologne.
1887		Mallarmé, *Poésies*.	Installation à Monaco.
1899	Second procès de Dreyfus.		Installation à Paris. Séjour à Stavelot en Belgique.
1901			Séjour en Rhénanie. Amour pour Annie Playden. Publication des premiers poèmes.
1902	Création du secrétariat syndical international.	Mort de Zola. Debussy, *Pelléas et Mélisande*.	Voyage en Europe. *L'Hérésiarque*.
1903			Séjour à Londres pour reconquérir Annie.
1904	Guerre russo-japonaise.	Picasso, « période rose ». Fauvisme (Derain, Matisse, Vlaminck).	Rencontre Picasso, Derain.
1907		Mort d'Alfred Jarry. Picasso, *Les Demoiselles d'Avignon*. Le cubisme prend son essor.	Rencontre Marie Laurencin.
1909		Ballets russes. Delaunay, *Tour Eiffel*.	« La Chanson du Mal-Aimé ». *L'Enchanteur pourrissant*.

1910	Guerre des Balkans.	Grande période créative pour Picasso et Braque.	Chroniques dans *L'Intransigeant*. *L'Hérésiarque et Cie*.
1911	Guerre italo-turque.	Arnold Schönberg invente le dodécaphonisme.	*Le Bestiaire ou Cortège d'Orphée*, illustré par Dufy.
1912	Ministère Poincaré.	Manifestes futuristes de Marinetti.	Rupture avec Marie Laurencin. « Le Pont Mirabeau », « Zone ».
1913	Poincaré Président. Incidents franco-allemands en Lorraine.	Proust : *Du côté de chez Swann*. Alain-Fournier, *Le Grand Meaulnes*. Stravinsky, *Le Sacre du printemps*.	Les Peintres cubistes, *Alcools*. *L'Antitradition futuriste*.
1914	Assassinat de l'archiduc François-Ferdinand à Sarajevo. Assassinat de Jean Jaurès. Début de la Première Guerre mondiale. Bataille de la Marne.	Gide, *Les Caves du Vatican*.	« Lettre-Océan », premier idéogramme – rencontre Lou. S'engage pour le combat. Demande sa naturalisation française.
1915	Entrée en guerre de l'Italie.		Rencontre Madeleine Pagès. Monte au front en Champagne.
1916	Bataille de Verdun. La guerre s'étend à l'Europe.	Henri Barbusse, *Le Feu*.	Blessé à la tête. *Le Poète assassiné*. Naturalisé français.
1917	Ministère Clemenceau. Révolution en Russie. Entrée en guerre des États-Unis.	Paul Valéry, *La Jeune Parque*.	*Les Mamelles de Tirésias*. Invente le « surréalisme » et l'« esprit nouveau ».
1918	Échec de l'offensive allemande en Champagne. Armistice.	Tristan Tzara, *Manifeste Dada*.	*Vitam impendere amori*. **Calligrammes.** Meurt de la grippe espagnole.

Le **calligramme** : Guillaume Apollinaire l'avait d'abord appelé «idéo-gramme* lyrique» (*La cravate et la montre* qui relate une soirée entre amis où Apollinaire avait ôté sa cravate et où un ami avait sorti sa montre pour dire qu'il était temps d'aller manger).

On retrouve la technique du **couper-coller** qu'utilisent les peintres cubistes et les journalistes; n'oublions pas qu'Apollinaire fut chroni-queur (*À travers l'Europe*).

Un recueil très structuré – Le cycle intitulé «Ondes» est composé à partir de poèmes écrits avant la déclaration de guerre. On y lit à toutes les pages l'expression d'un enthousiasme créateur, on y découvre les inventions que nous venons d'énumérer.

Le deuxième cycle, «Étendards», est une sorte de journal intime du poète qui va de la déclaration de la Première Guerre mondiale jusqu'à son départ pour le front en avril 1915. Se mêlent tour à tour les impres-sions du jeune artilleur qui fait ses classes, la mélancolie liée au départ des amis qui le devancent au combat, une évocation de la brève et tumultueuse liaison avec Lou qui lui inspirera un grand nombre de poèmes dans ce recueil ou dans d'autres (*Poèmes à Lou*).

Le troisième cycle, «Case d'Armons», comprend des poèmes de guerre que le poète songe à publier pour aider les canonniers de sa bat-terie. Ainsi que l'indique le titre (la case d'Armons est un caisson de ran-gement pour les munitions, situé à l'avant d'une voiture attelée qui tire un canon), la poésie s'inspire de la vie des tranchées, du quotidien des soldats dont Apollinaire dit le caractère à la fois prosaïque et sublime.

«Lueurs des tirs», le cycle qui suit, correspond à la période qui s'étend de septembre à décembre 1915. Les sept premiers poèmes sont écrits pour la femme peintre Marie Laurencin qu'il a aimée et qui est en Espagne à cette époque (*La grâce exilée*), mais la totalité des quinze poèmes renouvelle le lyrisme de la poésie amoureuse en superposant les images de la femme aimée et de la guerre.

Avec le cycle «Obus couleur de lune», le recueil se détourne du jour-nal de guerre et ne suit plus de chronologie exacte. Les poèmes qui le constituent ont cependant un point commun puisqu'ils ont été envoyés à une jeune femme rencontrée dans un train et avec qui il pense se marier, Madeleine.

Le recueil se termine par «La tête étoilée», cycle le plus complexe par sa diversité. Le poète reprend ici tous les thèmes précédents et les formes inventées pour terminer sur un feu d'artifice, un grand final qui chante à la fois la victoire future mais aussi la rencontre amoureuse avec Jacqueline, *La jolie rousse* qu'il épousera. C'est le lieu de synthèse entre tradition et invention, joie de l'écriture et tristesse liée à toutes les choses «que je n'ose vous dire / tant de choses que vous ne me laisseriez pas dire».

Une réception en demi-teinte – Les *Calligrammes* paraissent en avril 1918, c'est-à-dire en pleine offensive allemande. Les canons visent Paris, la capitale vit dans des restrictions de plus en plus pénibles. Aussi le recueil ne rencontre qu'une faible attention. La fin de la guerre et sa liesse, puis la venue de nouveaux mouvements tels que le dadaïsme* et le surréalisme* font oublier le recueil pour quelques décennies. Apollinaire s'était peint sous les traits du mal-aimé dans *Alcools*. Une fois encore la réalité vient lui confirmer la fatalité qui pèse sur lui et qui ne se lèvera qu'après sa mort.

Calligrammes

Poèmes de la paix
et de la guerre
(1913-1916)

À la mémoire
du plus ancien de mes camarades
RENÉ DALIZE
mort au Champ d'Honneur
le 7 mai 1917.

ONDES

LIENS

Cordes faites de cris

Sons de cloches à travers l'Europe
Siècles pendus

Rails qui ligotez les nations
Nous ne sommes que deux ou trois hommes
Libres de tous liens
Donnons-nous la main

lien de chaque homme

Violente pluie qui peigne les fumées
Cordes
Cordes tissées
Câbles sous-marins[1]
Tours de Babel[2] *changées en ponts*
Araignées-Pontifes[3]
Tous les amoureux qu'un seul lien a liés

D'autres liens plus ténus
Blancs rayons de lumière
Cordes et Concorde

---

1. Câbles sous-marins : le premier câble téléphonique avait été immergé en 1891 reliant la France et la Grande-Bretagne.
2. Tour de Babel : construction mentionnée dans l'Ancien Testament, qui fut entreprise pour tenter d'arriver jusqu'à Dieu. Apollinaire conserve l'image de la monumentalité de l'architecture pour montrer le gigantisme des ponts que l'on commence à construire avec des structures métalliques.
3. Araignées-Pontifes : principe d'écriture préconisé par Marinetti, fondé sur le rapprochement de deux substantifs sans lien syntaxique.

J'écris seulement pour vous exalter
Ô sens ô sens chéris
Ennemis du souvenir
Ennemis du désir

Ennemis du regret
Ennemis des larmes
Ennemis de tout ce que j'aime encore

LES FENÊTRES[1]

Du rouge au vert tout le jaune se meurt
Quand chantent les aras dans les forêts natales
Abatis de pihis
Il y a un poème à faire sur l'oiseau qui n'a qu'une aile
Nous l'enverrons en message téléphonique
Traumatisme géant
Il fait couler les yeux
Voilà une jolie jeune fille parmi les jeunes Turinaises
Le pauvre jeune homme se mouchait dans sa cravate
    blanche
Tu soulèveras le rideau
Et maintenant voilà que s'ouvre la fenêtre
Araignées quand les mains tissaient la lumière
Beauté pâleur insondables violets
Nous tenterons en vain de prendre du repos
On commencera à minuit
Quand on a le temps on a la liberté
Bigorneaux Lotte multiples Soleils et l'Oursin du couchant
Une vieille paire de chaussures jaunes devant la fenêtre
Tours
Les Tours ce sont les rues
Puits
Puits ce sont les places
Puits
Arbres creux qui abritent les Câpresses vagabondes
Les Chabins chantent des airs à mourir

---

1. Le poème fait référence aux œuvres de Robert Delaunay.

Aux Chabines marronnes
Et l'oie oua-oua trompette au nord
Où les chasseurs de ratons
Raclent les pelleteries
Étincelant diamant
Vancouver
Où le train blanc de neige et de feux nocturnes fuit l'hiver
Ô Paris
Du rouge au vert tout le jaune se meurt
Paris Vancouver Hyères Maintenon New-York et les
    Antilles
La fenêtre s'ouvre comme une orange
Le beau fruit de la lumière

PAYSAGE

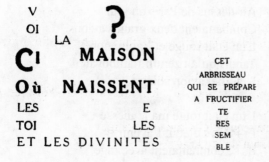

VOICI LA MAISON OÙ NAISSENT LES ÉTOILES ET LES DIVINITÉS

CET ARBRISSEAU QUI SE PRÉPARE A FRUCTIFIER TE RESSEMBLE

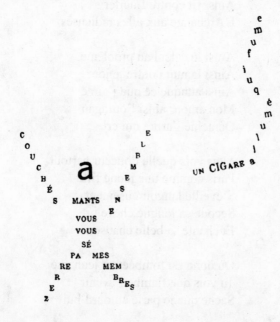

UN CIGARE ALLUMÉ QUI FUME

COUCHÉS MANTS VOUS VOUS SÉPAMES REMEMBREZ

LES COLLINES

Au-dessus de Paris un jour
Combattaient deux grands avions
L'un était rouge et l'autre noir
Tandis qu'au zénith flamboyait
L'éternel avion solaire

L'un était toute ma jeunesse
Et l'autre c'était l'avenir
Ils se combattaient avec rage
Ainsi fit contre Lucifer
L'Archange aux ailes radieuses

Ainsi le calcul au problème
Ainsi la nuit contre le jour
Ainsi attaque ce que j'aime
Mon amour ainsi l'ouragan
Déracine l'arbre qui crie

Mais vois quelle douceur partout
Paris comme une jeune fille
S'éveille langoureusement
Secoue sa longue chevelure
Et chante sa belle chanson

Où donc est tombée ma jeunesse
Tu vois que flambe l'avenir
Sache que je parle aujourd'hui

Pour annoncer au monde entier
Qu'enfin est né l'art de prédire

fin

Certains hommes sont des collines
Qui s'élèvent d'entre les hommes
Et voient au loin tout l'avenir
Mieux que s'il était le présent
Plus net que s'il était passé

Ornement des temps et des routes
Passe et dure sans t'arrêter
Laissons sibiler les serpents
En vain contre le vent du sud
Les Psylles et l'onde ont péri

Ordre des temps si les machines
Se prenaient enfin à penser
Sur les plages de pierreries
Des vagues d'or se briseraient
L'écume serait mère encore

Moins haut que l'homme vont les aigles
C'est lui qui fait la joie des mers
Comme il dissipe dans les airs
L'ombre et les spleens vertigineux
Par où l'esprit rejoint le songe

Voici le temps de la magie
Il s'en revient attendez-vous
À des milliards de prodiges
Qui n'ont fait naître aucune fable
Nul les ayant imaginés

Profondeurs de la conscience
On vous explorera demain
Et qui sait quels êtres vivants
Seront tirés de ces abîmes
Avec des univers entiers

Voici s'élever des prophètes
Comme au loin des collines bleues
Ils sauront des choses précises
Comme croient savoir les savants
Et nous transporteront partout

La grande force est le désir
Et viens que je te baise au front
Ô légère comme une flamme
Dont tu as toute la souffrance
Toute l'ardeur et tout l'éclat

L'âge en vient on étudiera
Tout ce que c'est que de souffrir
Ce ne sera pas du courage
Ni même du renoncement
Ni tout ce que nous pouvons faire

On cherchera dans l'homme même
Beaucoup plus qu'on n'y a cherché
On scrutera sa volonté
Et quelle force naîtra d'elle
Sans machine et sans instrument

Les secourables mânes errent
Se compénétrant parmi nous
Depuis les temps qui nous rejoignent
Rien n'y finit rien n'y commence
Regarde la bague à ton doigt

Temps des déserts des carrefours
Temps des places et des collines
Je viens ici faire des tours
Où joue son rôle un talisman
Mort et plus subtil que la vie

Je me suis enfin détaché
De toutes choses naturelles
Je peux mourir mais non pécher
Et ce qu'on n'a jamais touché
Je l'ai touché je l'ai palpé

Et j'ai scruté tout ce que nul
Ne peut en rien imaginer
Et j'ai soupesé maintes fois
Même la vie impondérable
Je peux mourir en souriant

Bien souvent j'ai plané si haut
Si haut qu'adieu toutes les choses
Les étrangetés les fantômes
Et je ne veux plus admirer
Ce garçon qui mine l'effroi

Jeunesse adieu jasmin du temps
J'ai respiré ton frais parfum

À Rome sur les chars fleuris
Chargés de masques de guirlandes
Et des grelots du carnaval

Adieu jeunesse blanc Noël
Quand la vie n'était qu'une étoile
Dont je contemplais le reflet
Dans la mer Méditerranée
Plus nacrée que les météores

Duvetée comme un nid d'archanges
Ou la guirlande des nuages
Et plus lustrée que les halos
Émanations et splendeurs
Unique douceur harmonies

Je m'arrête pour regarder
Sur la pelouse incandescente
Un serpent erre c'est moi-même
Qui suis la flûte dont je joue
Et le fouet qui châtie les autres

Il vient un temps pour la souffrance
Il vient un temps pour la bonté
Jeunesse adieu voici le temps
Où l'on connaîtra l'avenir
Sans mourir de sa connaissance

C'est le temps de la grâce ardente
La volonté seule agira
Sept ans d'incroyables épreuves

L'homme se divinisera
Plus pur plus vif et plus savant

Il découvrira d'autres mondes
L'esprit languit comme les fleurs
Dont naissent les fruits savoureux
Que nous regarderons mûrir
Sur la colline ensoleillée

Je dis ce qu'est au vrai la vie
Seul je pouvais chanter ainsi
Mes chants tombent comme des graines
Taisez-vous tous vous qui chantez
Ne mêlez pas l'ivraie au blé

Un vaisseau s'en vint dans le port
Un grand navire pavoisé
Mais nous n'y trouvâmes personne
Qu'une femme belle et vermeille
Elle y gisait assassinée

Une autre fois je mendiais
L'on ne me donna qu'une flamme
Dont je fus brûlé jusqu'aux lèvres
Et je ne pus dire merci
Torche que rien ne peut éteindre

Où donc es-tu ô mon ami
Qui rentrais si bien en toi-même
Qu'un abîme seul est resté
Où je me suis jeté moi-même
Jusqu'aux profondeurs incolores

Et j'entends revenir mes pas
Le long des sentiers que personne
N'a parcourus j'entends mes pas
À toute heure ils passent là-bas
Lents ou pressés ils vont ou viennent

Hiver toi qui te fais la barbe
Il neige et je suis malheureux
J'ai traversé le ciel splendide
Où la vie est une musique
Le sol est trop blanc pour mes yeux

Habituez-vous comme moi
À ces prodiges que j'annonce
À la bonté qui va régner
À la souffrance que j'endure
Et vous connaîtrez l'avenir

C'est de souffrance et de bonté
Que sera faite la beauté
Plus parfaite que n'était celle
Qui venait des proportions
Il neige et je brûle et je tremble

Maintenant je suis à ma table
J'écris ce que j'ai ressenti
Et ce que j'ai chanté là-haut
Un arbre élancé que balance
Le vent dont les cheveux s'envolent

Un chapeau haut de forme est sur
Une table chargée de fruits
Les gants sont morts près d'une pomme
Une dame se tord le cou
Auprès d'un monsieur qui s'avale

Le bal tournoie au fond du temps
J'ai tué le beau chef d'orchestre
Et je pèle pour mes amis
L'orange dont la saveur est
Un merveilleux feu d'artifice

Tous sont morts le maître d'hôtel
Leur verse un champagne irréel
Qui mousse comme un escargot
Ou comme un cerveau de poète
Tandis que chantait une rose

L'esclave tient une épée nue
Semblable aux sources et aux fleuves
Et chaque fois qu'elle s'abaisse
Un univers est éventré
Dont il sort des mondes nouveaux

Le chauffeur se tient au volant
Et chaque fois que sur la route
Il corne en passant le tournant
Il paraît à perte de vue
Un univers encore vierge

Et le tiers nombre c'est la dame
Elle monte dans l'ascenseur

Elle monte monte toujours
Et la lumière se déploie
Et ces clartés la transfigurent

Mais ce sont de petits secrets
Il en est d'autres plus profonds
Qui se dévoileront bientôt
Et feront de vous cent morceaux
À la pensée toujours unique

Mais pleure pleure et repleurons
Et soit que la lune soit pleine
Ou soit qu'elle n'ait qu'un croissant
Ah ! pleure pleure et repleurons
Nous avons tant ri au soleil

Des bras d'or supportent la vie
Pénétrez le secret doré
Tout n'est qu'une flamme rapide
Que fleurit la rose adorable
Et d'où monte un parfum exquis

ARBRE

À Frédéric Boutet.

Tu chantes avec les autres tandis que les phonographes
    galopent
Où sont les aveugles où s'en sont-ils allés
La seule feuille que j'aie cueillie s'est changée en plusieurs
    mirages
Ne m'abandonnez pas parmi cette foule de femmes au
    marché
Ispahan s'est fait un ciel de carreaux émaillés de bleu
Et je remonte avec vous une route aux environs de Lyon

Je n'ai pas oublié le son de la clochette d'un marchand de
    coco d'autrefois
J'entends déjà le son aigre de cette voix à venir
Du camarade qui se promènera avec toi en Europe
Tout en restant en Amérique

Un enfant
Un veau dépouillé pendu à l'étal
Un enfant
Et cette banlieue de sable autour d'une pauvre ville au fond
    de l'est
Un douanier se tenait là comme un ange
À la porte d'un misérable paradis
Et ce voyageur épileptique écumait dans la salle d'attente
    des premières

Engoulevent[1] Blaireau
Et la Taupe-Ariane[2]
Nous avions loué deux coupés dans le transsibérien[3]
Tour à tour nous dormions le voyageur en bijouterie et moi
Mais celui qui veillait ne cachait point un revolver armé

Tu t'es promené à Leipzig avec une femme mince déguisée
   en homme
Intelligence car voilà ce que c'est qu'une femme intelli-
   gente
Et il ne faudrait pas oublier les légendes
Dame-Abonde dans un tramway la nuit au fond d'un quar-
   tier désert
Je voyais une chasse tandis que je montais
Et l'ascenseur s'arrêtait à chaque étage

Entre les pierres
Entre les vêtements multicolores de la vitrine
Entre les charbons ardents du marchand de marrons
Entre deux vaisseaux norvégiens amarrés à Rouen
Il y a ton image

1. Engoulevent : oiseau crépusculaire ou nocturne dont le chant est ronronnant.
2. Et la Taupe-Ariane : jeu de mots construit par le poète à partir d'une référence mythologique. La taupe, petit mammifère, est évoquée ici parce qu'elle vit dans des galeries souterraines qu'elle creuse elle-même. Elle est rapprochée d'Ariane, héroïne grecque amoureuse de Thésée qui devait aller combattre le Minotaure dans un labyrinthe. La jeune femme avait donné à Thésée une pelote de fil à dérouler pour retrouver la sortie lorsqu'il aurait tué le monstre. Il y a similitude entre le héros grec, la taupe et le soldat qui vit dans les tranchées à ciel ouvert mais aussi dans des cavernes (la Caverne des Dragons).
3. Le Transsibérien : ligne de chemin de fer qui traverse toute la Sibérie ; elle fut construite entre 1891 et 1898. Le poète fait référence à *La Prose du Transsibérien*, œuvre poétique et picturale de 1913 créée par Blaise Cendrars et Sonia Delaunay.

Elle pousse entre les bouleaux de la Finlande

Ce beau nègre en acier

La plus grande tristesse
C'est quand tu reçus une carte postale de La Corogne

Le vent vient du couchant
Le métal des caroubiers[1]
Tout est plus triste qu'autrefois
Tous les dieux terrestres vieillissent
L'univers se plaint par ta voix
Et des êtres nouveaux surgissent
Trois par trois

---

1. Caroubier : arbre méditerranéen à feuilles persistantes et fruits bruns.

LUNDI RUE CHRISTINE

La mère de la concierge et la concierge laisseront tout
    passer
Si tu es un homme tu m'accompagneras ce soir
Il suffirait qu'un type maintînt la porte cochère
Pendant que l'autre monterait

Trois becs de gaz allumés
La patronne est poitrinaire
Quand tu auras fini nous jouerons une partie de jacquet
Un chef d'orchestre qui a mal à la gorge
Quand tu viendras à Tunis je te ferai fumer du kief

Ça a l'air de rimer

Des piles de soucoupes des fleurs un calendrier
Pim pam pim
Je dois fiche près de 300 francs à ma probloque[1]
Je préférerais me couper le parfaitement que de les lui
    donner

Je partirai à 20 h. 27
Six glaces s'y dévisagent toujours
Je crois que nous allons nous embrouiller encore davantage

Cher monsieur
Vous êtes un mec à la mie de pain

---

1. Probloque : mot d'argot signifiant «propriétaire».

Cette dame a le nez comme un ver solitaire
Louise a oublié sa fourrure
Moi je n'ai pas de fourrure et je n'ai pas froid
Le Danois fume sa cigarette en consultant l'horaire
Le chat noir traverse la brasserie

Ces crêpes étaient exquises
La fontaine coule
Robe noire comme ses ongles
C'est complètement impossible
Voici monsieur
La bague en malachite
Le sol est semé de sciure
Alors c'est vrai
La serveuse rousse a été enlevée par un libraire

Un journaliste que je connais d'ailleurs très vaguement

Écoute Jacques c'est très sérieux ce que je vais te dire

Compagnie de navigation mixte

Il me dit monsieur voulez-vous voir ce que je peux faire
      d'eaux-fortes et de tableaux
Je n'ai qu'une petite bonne

Après déjeuner café du Luxembourg

Une fois là il me présente un gros bonhomme
Qui me dit
Écoutez c'est charmant
À Smyrne à Naples en Tunisie

Mais nom de Dieu où est-ce
La dernière fois que j'ai été en Chine
C'est il y a huit ou neuf ans
L'Honneur tient souvent à l'heure que marque la pendule
La quinte major

LETTRE-OCÉAN

Je traverse la ville nez en avant
et je la coupe en **2**

J'étais au bord du Rhin quand tu partis pour le Mexique
Ta voix me parvient malgré l'énorme distance
Gens de mauvaise mine sur la quai à la Vera Cruz

Les voyageurs de *l'Espagne* devant faire
le voyage de Coatzacoalcos pour s'embarquer
je t'envoie cette carte aujourd'hui au lieu

Juan Aldama

REPUBLICA MEXICANA
TARJETA POSTAL
Rue des Batignolles

11 45
29-5
14

YPIRANGA

Correos
Mexico
4 centavos

U.S. Postage
2 cents 2

de profiter du courrier de Vera Cruz qui n'est pas sûr
Tout est calme ici et nous sommes dans l'attente
des événements.

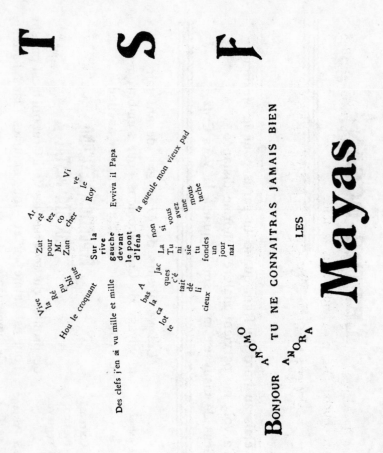

T

S

F

Mayas

Evviva il Papa

ta gueule mon vieux pad

Vi
ve
le
Roy

Ar
rê
tez
co
cher

Zut
pour
M.
Zun

Sur la
rive
gauche
devant
le pont
d'Iéna

La non si
Tu vous
ni avez
sie une
tu mous
fondes tache
un
jour
nal

Jac
ques
c'é
tait
dé
li
cieux

Vive
la Ré
pu
bli
que

Hou le croquant

bas A
ca la
lot
te

Des clefs j'en ai vu mille et mille

LES

BONJOUR A N O M O
A N O R A
TU NE CONNAITRAS JAMAIS BIEN

Te souviens-tu du tremblement de terre entre 1885 et 1890
on coucha plus d'un mois sous la tente

BONJOUR MON FRÈRE ALBERT à Mexico

Jeunes filles a Chapultepec

rue
St-
Isidore
à
la
Havane
cela
n'existe +

et
com
ment
j'ai
brû
lé
le
dur
avec
ma
gerce

Tous
saint
Luca
est
main
tenant
à Poi
tiers

LES CHAUSSURES NEUVES DU POÈTE

cré
cré
cré
GRAMOPHONE8
cré
cré
cré

ture les voyageurs pour

43

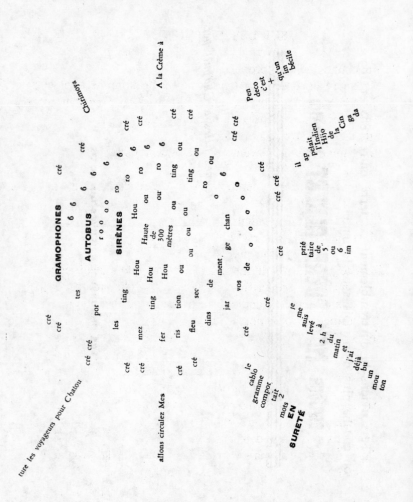

SUR LES PROPHÉTIES

J'ai connu quelques prophétesses
Madame Salmajour avait appris en Océanie à tirer les cartes
C'est là-bas qu'elle avait eu encore l'occasion de participer
À une scène savoureuse d'anthropophagie
Elle n'en parlait pas à tout le monde
En ce qui concerne l'avenir elle ne se trompait jamais

Une cartomancienne céretane[1] Marguerite je ne sais plus
    quoi
                Est également habile
Mais Madame Deroy est la mieux inspirée
                La plus précise
Tout ce qu'elle m'a dit du passé était vrai et tout ce qu'elle
M'a annoncé s'est vérifié dans le temps qu'elle indiquait
J'ai connu un sciomancien[2] mais je n'ai pas voulu qu'il
    interrogeât mon ombre
Je connais un sourcier c'est le peintre norvégien Diriks

Miroir brisé sel renversé ou pain qui tombe
Puissent ces dieux sans figure m'épargner toujours
Au demeurant je ne crois pas mais je regarde et j'écoute et
    notez
Que je lis assez bien dans la main
Car je ne crois pas mais je regarde et quand c'est possible
    j'écoute

1. Cartomancienne : personne qui tire les cartes pour voir l'avenir. On retrouve ce personnage dans *Les Mamelles de Tirésias*. – Céretane : qui habite Céret.
2. Sciomancien : personne qui a le don de connaître l'avenir.

Tout le monde est prophète mon cher André Billy
Mais il y a si longtemps qu'on fait croire aux gens
Qu'ils n'ont aucun avenir qu'ils sont ignorants à jamais
             Et idiots de naissance
Qu'on en a pris son parti et que nul n'a même l'idée
De se demander s'il connaît l'avenir ou non
Il n'y a pas d'esprit religieux dans tout cela
Ni dans les superstitions ni dans les prophéties
Ni dans tout ce que l'on nomme occultisme
Il y a avant tout une façon d'observer la nature
Et d'interpréter la nature
Qui est très légitime

LE MUSICIEN DE SAINT-MERRY

J'ai enfin le droit de saluer des êtres que je ne connais pas
Ils passent devant moi et s'accumulent au loin
Tandis que tout ce que j'en vois m'est inconnu
Et leur espoir n'est pas moins fort que le mien

Je ne chante pas ce monde ni les autres astres
Je chante toutes les possibilités de moi-même hors de ce
    monde et des astres
Je chante la joie d'errer et le plaisir d'en mourir

Le 21 du mois de mai 1913
Passeur des morts et les mordonnantes mériennes
Des millions de mouches éventaient une splendeur
Quand un homme sans yeux sans nez et sans oreilles
Quittant le Sébasto entra dans la rue Aubry-le-Boucher
Jeune l'homme était brun et ce couleur de fraise sur les joues
Homme Ah! Ariane
Il jouait de la flûte et la musique dirigeait ses pas
Il s'arrêta au coin de la rue Saint-Martin
Jouant l'air que je chante et que j'ai inventé

Les femmes qui passaient s'arrêtaient près de lui
Il en venait de toutes parts
Lorsque tout à coup les cloches de Saint-Merry se mirent à
    sonner
Le musicien cessa de jouer et but à la fontaine
Qui se trouve au coin de la rue Simon-Le-Franc
Puis Saint-Merry se tut

L'inconnu reprit son air de flûte
Et revenant sur ses pas marcha jusqu'à la rue de la Verrerie
Où il entra suivi par la troupe des femmes
Qui sortaient des maisons
Qui venaient par les rues traversières les yeux fous
Les mains tendues vers le mélodieux ravisseur
Il s'en allait indifférent jouant son air
Il s'en allait terriblement

Puis ailleurs
À quelle heure un train partira-t-il pour Paris

À ce moment
Les pigeons des Moluques fientaient des noix muscades
En même temps
Mission catholique de Bôma qu'as-tu fait du sculpteur

Ailleurs
Elle traverse un pont qui relie Bonn à Beuel et disparaît à
     travers Pützchen

Au même instant
Une jeune fille amoureuse du maire

Dans un autre quartier
Rivalise donc poète avec les étiquettes des parfumeurs

En somme ô rieurs vous n'avez pas tiré grand-chose des
     hommes
Et à peine avez-vous extrait un peu de graisse de leur misère
Mais nous qui mourons de vivre loin l'un de l'autre
Tendons nos bras et sur ces rails roule un long train de mar-
     chandises

Tu pleurais assise près de moi au fond d'un fiacre

Et maintenant
Tu me ressembles tu me ressembles malheureusement

Nous nous ressemblons comme dans l'architecture du
    siècle dernier
Ces hautes cheminées pareilles à des tours
Nous allons plus haut maintenant et ne touchons plus le sol

Et tandis que le monde vivait et variait

Le cortège des femmes long comme un jour sans pain
Suivait dans la rue de la Verrerie l'heureux musicien

Cortèges ô cortèges
C'est quand jadis le roi s'en allait à Vincennes
Quand les ambassadeurs arrivaient à Paris
Quand le maigre Suger se hâtait vers la Seine
Quand l'émeute mourait autour de Saint-Merry

Cortèges ô cortèges
Les femmes débordaient tant leur nombre était grand
Dans toutes les rues avoisinantes
Et se hâtaient raides comme balle
Afin de suivre le musicien
Ah! Ariane et toi Pâquette et toi Amine
Et toi Mia et toi Simone et toi Mavise
Et toi Colette et toi la belle Geneviève
Elles ont passé tremblantes et vaines
Et leurs pas légers et prestes se mouvaient selon la cadence

De la musique pastorale qui guidait
Leurs oreilles avides

L'inconnu s'arrêta un moment devant une maison à vendre
Maison abandonnée
Aux vitres brisées
C'est un logis du seizième siècle
La cour sert de remise à des voitures de livraisons
C'est là qu'entra le musicien
Sa musique qui s'éloignait devint langoureuse
Les femmes le suivirent dans la maison abandonnée
Et toutes y entrèrent confondues en bande
Toutes toutes y entrèrent sans regarder derrière elles
Sans regretter ce qu'elles ont laissé
Ce qu'elles ont abandonné
Sans regretter le jour la vie et la mémoire
Il ne resta bientôt plus personne dans la rue de la Verrerie
Sinon moi-même et un prêtre de Saint-Merry
Nous entrâmes dans la vieille maison
Mais nous n'y trouvâmes personne

Voici le soir
À Saint-Merry c'est l'Angélus qui sonne
Cortèges ô cortèges
C'est quand jadis le roi revenait de Vincennes
Il vint une troupe de casquettiers
Il vint des marchands de bananes
Il vint des soldats de la garde républicaine
Ô nuit
Troupeau de regards langoureux des femmes
Ô nuit
Toi ma douleur et mon attente vaine
J'entends mourir le son d'une flûte lointaine

LA CRAVATE ET LA MONTRE

LA CRAVATE

DOU
LOU
REUSE
QUE TU
PORTES
ET QUI T'
ORNE O CI
VILISÉ
ÔTE- TU VEUX
LA BIEN
SI RESPI
RER

COMME L'ON
S'AMUSE
BI
EN

les la
heures

et le beau
vers Mon
dantesque cœur té
luisant et
cadavérique de

la
le bel les
inconnu Il Et yeux vie
est tout pas
— se
5 se
les Muses en ra
aux portes de fin fi l'enfant la
ton corps ni
dou

l'infini leur
redressé Agla
par un fou de
de philosophe
mou
rir

semaine la main

Tircis

UN FANTÔME DE NUÉES

Comme c'était la veille du quatorze juillet
Vers les quatre heures de l'après-midi
Je descendis dans la rue pour aller voir les saltimbanques

Ces gens qui font des tours en plein air
Commencent à être rares à Paris
Dans ma jeunesse on en voyait beaucoup plus qu'aujourd'hui
Ils s'en sont allés presque tous en province

Je pris le boulevard Saint-Germain
Et sur une petite place située entre Saint-Germain-des-Prés
    et la statue de Danton
Je rencontrai les saltimbanques

La foule les entourait muette et résignée à attendre
Je me fis une place dans ce cercle afin de tout voir
Poids formidables
Villes de Belgique soulevées à bras tendu par un ouvrier
    russe de Longwy
Haltères noirs et creux qui ont pour tige un fleuve figé
Doigts roulant une cigarette amère et délicieuse comme la
    vie

De nombreux tapis sales couvraient le sol
Tapis qui ont des plis qu'on ne défera pas
Tapis qui sont presque entièrement couleur de la poussière
Et où quelques taches jaunes ou vertes ont persisté
Comme un air de musique qui vous poursuit

Vois-tu le personnage maigre et sauvage
La cendre de ses pères lui sortait en barbe grisonnante
Il portait ainsi toute son hérédité au visage
Il semblait rêver à l'avenir
En tournant machinalement un orgue de Barbarie
Dont la lente voix se lamentait merveilleusement
Les glouglous les couacs et les sourds gémissements

Les saltimbanques ne bougeaient pas
Le plus vieux avait un maillot couleur de ce rose violâtre
    qu'ont aux joues certaines jeunes filles fraîches mais
    près de la mort

Ce rose-là se niche surtout dans les plis qui entourent sou-
    vent leur bouche
Ou près des narines
C'est un rose plein de traîtrise

Cet homme portait-il ainsi sur le dos
La teinte ignoble de ses poumons

Les bras les bras partout montaient la garde

Le second saltimbanque
N'était vêtu que de son ombre
Je le regardai longtemps
Son visage m'échappe entièrement
C'est un homme sans tête

Un autre enfin avait l'air d'un voyou
D'un apache bon et crapule à la fois

Avec son pantalon bouffant et les accroche-chaussettes
N'aurait-il pas eu l'apparence d'un maquereau à sa toilette

La musique se tut et ce furent des pourparlers avec le public
Qui sou à sou jeta sur le tapis la somme de deux francs cin-
    quante
Au lieu des trois francs que le vieux avait fixés comme prix
    des tours

Mais quand il fut clair que personne ne donnerait plus rien
On se décida à commencer la séance
De dessous l'orgue sortit un tout petit saltimbanque habillé
    de rose pulmonaire
Avec de la fourrure aux poignets et aux chevilles
Il poussait des cris brefs
Et saluait en écartant gentiment les avant-bras
Mains ouvertes

Une jambe en arrière prête à la génuflexion
Il salua ainsi aux quatre points cardinaux
Et quand il marcha sur une boule
Son corps mince devint une musique si délicate que nul
    parmi les spectateurs n'y fut insensible
Un petit esprit sans aucune humanité
Pensa chacun
Et cette musique des formes
Détruisit celle de l'orgue mécanique
Que moulait l'homme au visage couvert d'ancêtres

Le petit saltimbanque fit la roue
Avec tant d'harmonie

Que l'orgue cessa de jouer
Et que l'organiste se cacha le visage dans les mains
Aux doigts semblables aux descendants de son destin
Fœtus minuscules qui lui sortaient de la barbe
Nouveaux cris de Peau-Rouge
Musique angélique des arbres
Disparition de l'enfant
Les saltimbanques soulevèrent les gros haltères à bout de
  bras
Ils jonglèrent avec les poids

Mais chaque spectateur cherchait en soi l'enfant miraculeux
Siècle ô siècle des nuages

VOYAGE

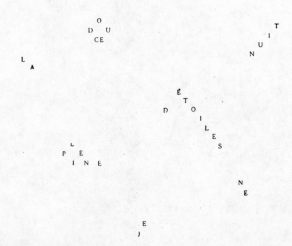

Adieu AMOUR NUAGE QUI
FUIS REFAIS LE VOYAGE DE DANTE
ET N'A PAS CHU PLUIE FÉCON

OU   VA   DONC   CE   TRAIN   QUI   MEURT
DANS   LES   VALS   ET   LES   BEAUX   BOIS

■ Dante (Dante Alighieri, dit) : poète latin (1265-1321) qui écrivit l'un des chefs-d'œuvre de la littérature italienne, *La Divine Comédie*, où le poète fait un voyage allégorique en enfer, au purgatoire et au paradis.

TÉLÉGRAPHE

OISEAU
QUI   TOMBER
LAISSE

SES AILES PARTOUT

?
E
L
A
AU   LOIN   P
FRAIS DU   **TENDRE ÉTÉ SI**

L   U

N   A
I
R
E   ET

C'   TON   SA
EST   VI   GE

QUE

V
O
I   PLU
S   S

CŒUR COURONNE ET MIROIR

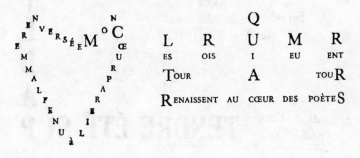

CŒUR : Mon cœur pareil à une flamme renversée

COURONNE : Les rois qui meurent tour à tour renaissent au cœur des poètes

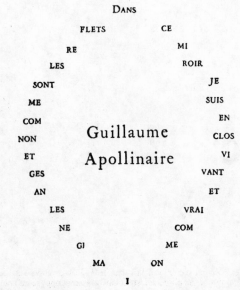

MIROIR : Dans ce miroir je suis enclos vivant et vrai comme on imagine les anges et non comme sont les reflets

Guillaume Apollinaire

TOUR

À R.D.

Au Nord au Sud
Zénith Nadir[1]
Et les grands cris de l'Est
L'Océan se gonfle à l'Ouest
La Tour à la Roue
S'adresse

---

1. Zénith : point du ciel situé à la verticale de l'observateur au-dessus de sa tête.
   Nadir : point de la sphère céleste diamétralement opposé au zénith.

À TRAVERS L'EUROPE

À M. Ch.

Rotsoge
Ton visage écarlate ton biplan transformable en hydroplan[1]
Ta maison ronde où il nage un hareng saur
Il me faut la clef des paupières
Heureusement que nous avons vu M. Panado
Et nous sommes tranquilles de ce côté-là
Qu'est-ce que tu vois mon vieux M. D…
90 ou 324 un homme en l'air un veau qui regarde à travers
    le ventre de sa mère

J'ai cherché longtemps sur les routes
Tant d'yeux sont clos au bord des routes
Le vent fait pleurer les saussaies[2]
Ouvre ouvre ouvre ouvre ouvre
Regarde mais regarde donc
Le vieux se lave les pieds dans la cuvette
Una volta ho inteso dire Chè vuoi[3]
Je me mis à pleurer en me souvenant de vos enfances

Et toi tu me montres un violet épouvantable

Ce petit tableau où il y a une voiture m'a rappelé le jour

1. Hydroplan : construit à partir de «biplan», qui est le nom d'une sorte d'avion.
2. Saussaies : plantation de saules.
3. Una volta ho inteso dire Chè vuoi : Une fois j'ai entendu dire que…

Un jour fait de morceaux mauves jaunes bleus verts et
    rouges
Où je m'en allais à la campagne avec une charmante che-
    minée tenant sa chienne en laisse
Il n'y en a plus tu n'as plus ton petit mirliton
La cheminée fume loin de moi des cigarettes russes
La chienne aboie contre les lilas
La veilleuse est consumée
Sur la robe ont chu des pétales
Deux anneaux d'or près des sandales
Au soleil se sont allumés
Mais tes cheveux sont le trolley[1]
À travers l'Europe vêtue de petits feux multicolores

---

1. Trolley : emprunté à l'anglais, dispositif qui transmet l'électricité d'un câble
  conducteur au moteur d'un véhicule.

IL PLEUT

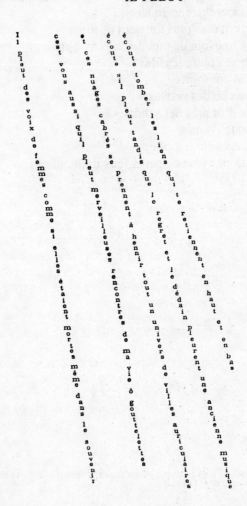

Il pleut des voix de femmes comme si elles étaient mortes même dans le souvenir

c'est vous aussi qu'il pleut merveilleuses rencontres de ma vie ô gouttelettes

et ces nuages cabrés se prennent à hennir tout un univers de villes auriculaires

écoute s'il pleut tandis que le regret et le dédain pleurent une ancienne musique

écoute tomber les liens qui te retiennent en haut et en bas

Arrêt
sur
lecture 1

Qu'est-ce qu'un « calligramme » ?

L'invention du calligramme

Guillaume Apollinaire n'est pas le premier à avoir tenté l'expérience de prendre l'écriture comme moyen pour dessiner le monde. L'Antiquité connaissait déjà ces jeux poétiques, et certaines langues qui ne fonctionnent pas comme les langues indo-européennes dont fait partie le français sont fondées sur une relation étroite entre le signe graphique qui représente le mot et l'objet qu'il désigne.

Un modèle : les idéogrammes chinois – Les premières langues ont été structurées non par des mots où le sens naît de l'organisation précise des lettres à l'intérieur de la syllabe et des syllabes entre elles à l'intérieur du mot (la lettre « u » ou la syllabe « ra » n'ont pas de sens en elles-mêmes), mais par des dessins (nommés pictogrammes*) puis des images-symboles qui représentaient un mot signifiant un objet (idéogrammes*). On trouve cet emploi dans le hiéroglyphe égyptien, chez les Sumériens ou encore les Chinois. Voici un exemple de construction d'idéogramme chinois à partir du soleil :

Apollinaire se penche sur les idéogrammes* chinois dès l'âge de dix-huit ans et prend des notes en bibliothèque à leur sujet. C'est de là, sans doute, que vient l'idée des premiers calligrammes qu'il compose mais qui ne portent pas encore à cette époque le nom que nous leur connaissons dans le recueil. Il les nomme « poèmes idéographiques » en 1914, « idéogrammes lyriques » en 1916 et enfin « calligrammes » en 1917.

Le calligramme avant Apollinaire – Le principe du calligramme était déjà en usage dans l'Antiquité. Mais il s'agit d'une certaine forme de calligramme où le texte, en vers le plus souvent, remplit le dessin de l'objet qu'il veut signifier mais ne le dessine pas. François Rabelais (1483-1553) utilise ce procédé dans le *Cinquième Livre* :

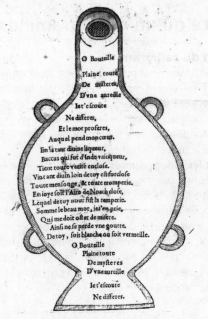

La *Dive bouteille* de Rabelais.

Au Moyen Âge, le calligramme est presque toujours lié à l'image de la croix, emblème du christianisme. Aussi à cette époque les textes choisis sont-ils souvent à valeur religieuse. Au XVIe siècle, on retrouve cette pratique qui a suivi les jeux subtils et compliqués de l'Ars nova*. Montaigne en parle pour en critiquer l'usage :

« Il est de ces subtilités frivoles et vaines, par le moyen desquelles les hommes cherchent quelquefois de la recommandation [= considération] : comme les poètes qui font des ouvrages entiers de vers en manière qu'ils viennent à représenter telle ou telle figure. **»**

À partir de la fin de la Renaissance, le genre est considéré comme très mineur et plus comme un jeu que comme œuvre à part entière. Le discrédit sera en partie levé par Hugo qui, en pleine révolution romantique, s'attaque à la tradition classique et ébranle les Lettres avec un poème-calligramme « Les Djinns » (*Les Orientales*). En forme de losange qui chante la venue progressive puis le passage des esprits malfaisants et enfin leur disparition au loin, le poème tente de transcrire le mouvement et le bruit des djinns* par le travail sur le volume graphique et métrique* des vers.

L'œuvre d'Apollinaire elle-même essuiera de nombreuses critiques. Ses détracteurs ne voient pas qu'il renouvelle la forme et l'expression du calligramme mais dénoncent sa maladresse à vouloir redonner vie à un genre mineur qui a fait son temps.

Le calligramme chez Apollinaire

Contrairement aux calligrammes pleins du Moyen Âge, ceux de Guillaume Apollinaire dessinent eux-mêmes un objet. Dans une lettre adressée à son ami André Billy, le poète en a donné une définition :

« Tel qu'il est de guerre, il a de la vie et il touchera plus qu'*Alcools*, je crois, si la fortune sourit à ma réputation poétique. Voilà ce que je crois. En ce qui concerne le reproche d'être un destructeur, je le repousse formellement, car je n'ai jamais détruit, mais au contraire, essayé de construire. Le vers classique était battu en brèche avant moi […]. Quant aux *Calligrammes,* ils sont une idéalisation de la poésie vers-libriste et une précision typographique à l'époque où la typographie termine brillamment sa carrière, à l'aurore des moyens nouveaux de reproduction que sont le cinéma et le phonographe. **》**

Mais cette définition doit être approfondie, car le poète multiplie les stratégies et la richesse expressive du jeu entre poésie et image. Ainsi trouve-t-on plusieurs types de calligrammes dans son œuvre :

– Le **calligramme figuratif** où le texte dessine ce dont il parle (*Il pleut*).

– Le **calligramme non figuratif** où le texte dessine un objet qui n'est pas au centre du texte et qui demande que le lecteur construise une interprétation entre un objet et un texte qui ne correspondent pas (ainsi *Loin du pigeonnier* sur le dessin d'une harpe).

– Le **calligramme composé** qui s'organise comme rébus à partir de plusieurs objets évoluant dans la page comme sur une toile de peinture (*Éventail des saveurs*).

– Le **calligramme intégrant des éléments graphiques non linguistiques** (dessins de ligne télégraphique, de notes de musique… dans *Voyage*) et dans lesquels le poète qui a été chroniqueur emploie la technique du couper-coller dont on se servait pour écrire au plus vite les chroniques.

– Le **calligramme autographe** qui joue sur l'écriture manuscrite et non plus sur les lettres d'imprimerie, et qui très souvent est aussi un poème carte postale (*La mandoline, l'œillet et le bambou*).

– Des « **idéogrammes lyriques** » coloriés de 1914 qui ne seront pas publiés à cause de la guerre (vous pourrez d'ailleurs trouver bien d'autres calligrammes dans les *Œuvres poétiques* complètes d'Apollinaire).

Pour une lecture :
La cravate et la montre

Introduction

Tout comme *Paysage*, *La cravate et la montre*, ainsi que le titre l'indique, offre un calligramme composé par deux dessins dans lesquels on pourrait lire deux poèmes différents liés à deux objets. En fait, Guillaume Apollinaire les place sur une même page parce qu'ils ont tous deux des relations souterraines. Au lecteur de construire le lien qui existe entre l'un et l'autre. Mais ce calligramme est aussi un rébus et l'on voit se mêler intimement la mélancolie du poète pour la vie qui passe et le plaisir ludique avec le langage. Ici encore, c'est au lecteur de travailler à déchiffrer l'énigme.

1 – Le rébus de la montre

Le poète joue sur le sens de la lecture qui n'est plus horizontal mais qui suit le mouvement des heures. Aussi doit-on lire le poème dans le sens des aiguilles d'une montre, chaque heure délivrant un message crypté, comme l'indique le bouton remontoir de la montre « comme l'on s'amuse bien » : il s'agit d'un jeu.

Mon cœur = une heure (parce que « je » n'ai qu'un cœur) ; yeux (on en a deux) ; l'enfant (constitue une trinité avec ses deux parents) ; Agla (prénom comprenant quatre lettres, mais aussi mot sacré composé des lettres initiales de quatre mots hébreux : *Athab gabor leolam Adonaï* : « Vous êtes puissant et éternel, Seigneur ») ; la main (avec ses cinq doigts) ; Tircis (prénom à six lettres représentant le berger du poète latin Virgile et comprenant la sonorité de « six » et le jeu de mots : tire six coups) ; semaine (sept jours) ; l'infini redressé par un fou de philosophe (le signe de l'infini se représente par un 8 à l'horizontal en mathématique) ; les Muses (elles sont neuf) ; le bel inconnu (le 10 avec ses dix lettres – il restera inconnu, comme le personnage du roman du Moyen Âge, *Le Bel Inconnu*, qui ne se souvient pas de son nom) ; le vers dantesque (le dernier vers des chants de Dante, poète italien, comporte onze syllabes) ; les heures (douze). Les éléments renvoient de façon multiple aux expériences du poète : lectures ou rencontre amoureuse.

2 – L'objet et l'allégorie*

Apollinaire ne souhaite pas simplement dessiner deux objets, mais traduire à travers eux une réflexion sur le temps moderne, le temps de l'homme civilisé. La cravate est l'allégorie des règles de vie qui contraignent les individus. Apollinaire exprime ici la nécessité d'un acte de délivrance par rapport à ces servitudes sociales. La montre est allégorie du temps qui passe, de l'éclosion de la vie à son déclin inéluctable, de la naissance de l'amour et de l'enfant à leur disparition dans la mort (« Et tout sera fini »).

Mais cette méditation sur l'existence humaine à partir des lois sociales et des lois humaines n'est pas aussi tranchée : certes la cravate est une contrainte pour l'homme mais elle est aussi un ornement ; la perspective angoissante de la mort est dépassée par la beauté de la vie : Apollinaire nous dit que l'existence est cette union entre vie et mort, douleur et beauté. La poésie et le calligramme étant ici le moyen d'exprimer la condition humaine mais aussi de lui échapper par la création esthétique, à l'image des aiguilles de la montre qui tracent la fin de la vie, mais le disent en un bel alexandrin* : « Il est – 5 enfin / Et tout sera fini. »

Conclusion

La cravate et la montre participe du journal du poète avant la Première Guerre mondiale. On y lit à la fois une méditation sur l'existence humaine et sur la fonction de l'art grâce à quoi l'homme peut dépasser sa dure condition.

Apparition de l'image, disparition de la phrase

Vive le futurisme !

L'image, qu'elle soit de nature visuelle ou acoustique, engage la poésie vers une nouvelle manière de penser la syntaxe et les règles métriques* de la poésie. Le futurisme faisait tout exploser dans une tempête de sons et d'effets visuels. Voilà ce mot d'ordre de Marinetti :

« Ce fut en aéroplane, assis sur le cylindre à essence, le ventre chauffé par la tête de l'aviateur que je sentis tout à coup l'inanité ridicule de la vieille syntaxe héritée de Homère. Besoin furieux de délivrer les mots en les tirant du cachot de la période latine. Elle a naturellement, comme tout imbécile, une tête prévoyante, un ventre, deux jambes et deux pieds plats, mais n'aura jamais deux ailes. De quoi marcher, courir quelques instants et s'arrêter presqu'aussitôt en soufflant !...

Voilà ce que m'a dit l'hélice tourbillonnante, tandis que je filais à deux cents mètres, sur les puissantes cheminées milanaises. Et l'hélice ajouta :

1 – Il faut détruire la syntaxe en disposant les substantifs au hasard de leur naissance.

2 – Il faut employer le verbe à l'infini, pour qu'il s'adapte élastiquement au substantif et ne le soumette pas au moi de l'écrivain qui observe ou imagine. Le verbe à l'infini peut seul donner le sens du contenu de la vie et l'élasticité de l'intuition qui la perçoit.

3 – Il faut abolir l'adjectif pour que le substantif nu garde sa couleur essentielle [...].

4 – Il faut abolir l'adverbe [...].

5 – Chaque substantif doit avoir son double, c'est-à-dire que le substantif doit être suivi, sans locution conjonctive, du substantif auquel il est lié par la logique. Exemple : homme-torpilleur [...].

6 – Plus de ponctuation. »

Manifeste technique de la littérature futuriste,
Filippo Tommaso Marinetti, Éditions L'Âge d'homme.

Apollinaire est séduit par le potentiel radical proposé par Marinetti et intègre dans sa poétique certains effets futuristes. Ainsi dit-il à Madeleine à propos de l'un de ses poèmes préférés, *Les fenêtres* : « J'ai fait mon possible pour simplifier la syntaxe poétique et j'ai réussi en un certain sens. »

Le choix de l'émotion

Pourtant Apollinaire s'éloigne du futurisme : Guillaume veut conserver la syntaxe qui assure un sens au discours, car sa poésie lyrique est fondée sur l'expression d'une expérience subjective. Alors que Marinetti refuse l'émotion du sentiment («la chaleur d'un morceau de fer ou de bois est désormais plus passionnante pour nous que le sourire ou les larmes d'une femme») et préfère découvrir la violence d'un monde brut, Apollinaire approfondit au contraire le secret douloureux qui le fait languir.

La syntaxe reste mais la phrase disparaît et avec elle la ponctuation. Le sens naît alors de la succession d'énoncés qui trouvent une unité grâce aux blancs typographiques et à leur position dans la page. Apollinaire pense la langue en fonction de microstructures syntaxiques (des fragments de phrases) plutôt que sous la forme d'un discours linéaire, ce qui lui permet de jouer de ces fragments comme des outils graphiques pour en faire des lignes, des courbes... Dans *Visée* par exemple, chaque vers compose un rai de lumière qui vient frapper sur la longue-vue du soldat, la trajectoire des balles ou encore les cordes d'une harpe. Aussi, comme nous le verrons plus tard, les fragments organisent un sens dans la page, mais le lecteur doit choisir lui-même le sens, le construire en organisant le parcours de son œil pour reconnaître la figure que dessine le texte. Alors que le futurisme se veut un «simultanéisme d'ambiance» par des mots mis au hasard sans construction syntaxique, le calligramme apollinarien propose un redoublement du lyrisme* poétique par une prime de séduction graphique : le lyrisme est à la fois sonore, sémantique et visuel.

à vous...

Atelier d'écriture

1 – Inventez votre propre langue avec des idéogrammes* et transcrivez ainsi quelques poèmes d'Apollinaire. Ressemblent-ils aux calligrammes du poète ?

2 – Que représente le calligramme de *La petite auto* (p. 73)? Essayez, dans un texte de quinze lignes, d'indiquer quels sont les

différents éléments représentés et comment Apollinaire réussit à les transcrire.

3 – Réécrivez *La cravate et la montre* en proposant pour chaque heure un rébus que vous aurez vous-même inventé.

4 – Tentez sous forme d'une frise composée par plusieurs calligrammes de faire un résumé de la Première Guerre mondiale telle que vous l'imaginez à partir des poèmes que vous avez lus.

ÉTENDARDS

LA PETITE AUTO

Le 31 du mois d'Août 1914
Je partis de Deauville un peu avant minuit
Dans la petite auto de Rouveyre[1]

Avec son chauffeur nous étions trois

Nous dîmes adieu à toute une époque
Des géants furieux se dressaient sur l'Europe
Les aigles quittaient leur aire attendant le soleil
Les poissons voraces montaient des abîmes
Les peuples accouraient pour se connaître à fond
Les morts tremblaient de peur dans leurs sombres demeures

Les chiens aboyaient vers là-bas où étaient les frontières
Je m'en allais portant en moi toutes ces armées qui se bat-
    taient
Je les sentais monter en moi et s'étaler les contrées où elles
    serpentaient
Avec les forêts les villages heureux de la Belgique
Francorchamps avec l'Eau Rouge et les pouhons
Région par où se font toujours les invasions
Artères ferroviaires où ceux qui s'en allaient mourir
Saluaient encore une fois la vie colorée
Océans profonds où remuaient les monstres
Dans les vieilles carcasses naufragées
Hauteurs inimaginables où l'homme combat

1. Rouveyre : peintre, dessinateur et romancier; il illustra *Vitam impedere amori*
   d'Apollinaire.

Plus haut que l'aigle ne plane
L'homme y combat contre l'homme
Et descend tout à coup comme une étoile filante

Je sentais en moi des êtres neufs pleins de dextérité
Bâtir et aussi agencer un univers nouveau
Un marchand d'une opulence inouïe et d'une taille prodi-
    gieuse
Disposait un étalage extraordinaire
Et des bergers gigantesques menaient
De grands troupeaux muets qui broutaient les paroles
Et contre lesquels aboyaient tous les chiens sur la route

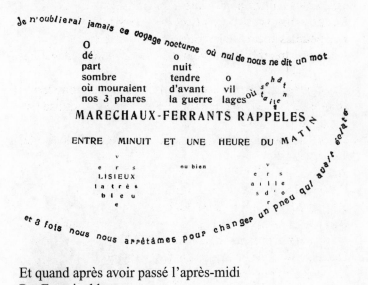

Et quand après avoir passé l'après-midi
Par Fontainebleau
Nous arrivâmes à Paris
Au moment où l'on affichait la mobilisation

Nous comprîmes mon camarade et moi
Que la petite auto nous avait conduits dans une époque
                                        Nouvelle
Et bien qu'étant déjà tous deux des hommes mûrs
Nous venions cependant de naître

LA MANDOLINE, L'ŒILLET ET LE BAMBOU

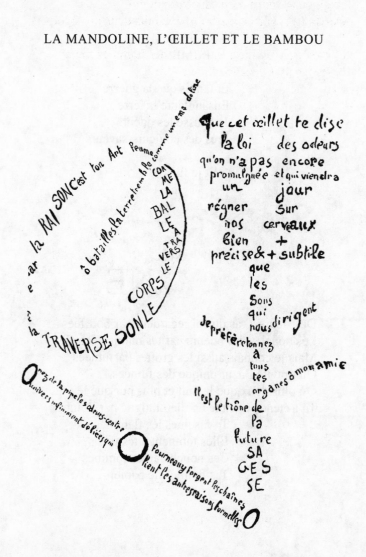

FUMÉES

Et tandis que la guerre
Ensanglante la terre
Je hausse les odeurs
Près des couleurs-saveurs

Et je fu
m
e
du
ta
bac
de NE
Zo

Des fleurs à ras du sol regardent par bouffées
Les boucles des odeurs par tes mains décoiffées
Mais je connais aussi les grottes parfumées
Où gravite l'azur unique des fumées
Où plus doux que la nuit et plus pur que le jour
Tu t'étends comme un dieu fatigué par l'amour
Tu fascines les flammes
Elles rampent à tes pieds
Ces nonchalantes femmes
Tes feuilles de papier

À NÎMES

À Émile Léonard.

Je me suis engagé sous le plus beau des cieux
Dans Nice la Marine au nom victorieux[1]

Perdu parmi 900 conducteurs anonymes
Je suis un charretier du neuf charroi de Nîmes

L'Amour dit Reste ici Mais là-bas les obus
Épousent ardemment et sans cesse les buts

J'attends que le printemps commande que s'en aille
Vers le nord glorieux l'intrépide bleusaille[2]

Les 3 servants assis dodelinent leurs fronts
Où brillent leurs yeux clairs comme mes éperons

Un bel après-midi de garde à l'écurie
J'entends sonner les trompettes d'artillerie

J'admire la gaieté de ce détachement
Qui va rejoindre au front notre beau régiment

1. Nice la Marine au nom victorieux : jeu de mots étymologique. Nikê était la déesse de la Victoire chez les Grecs.
2. Bleusaille : argotique ; jeune recrue militaire (les soldats arrivaient souvent à la caserne en blouse bleue).

Le territorial[1] se mange une salade
À l'anchois en parlant de sa femme malade

4 pointeurs fixaient les bulles des niveaux
Qui remuaient ainsi que les yeux des chevaux

Le bon chanteur Girault nous chante après 9 heures
Un grand air d'opéra toi l'écoutant tu pleures

Je flatte de la main le petit canon gris
Gris comme l'eau de Seine et je songe à Paris

Mais ce pâle blessé m'a dit à la cantine
Des obus dans la nuit la splendeur argentine

Je mâche lentement ma portion de bœuf
Je me promène seul le soir de 5 à 9

Je selle mon cheval nous battons la campagne
Je te salue au loin belle rose ô tour Magne

1. Territorial : soldat faisant partie des troupes mobilisables les plus anciennes.

LA COLOMBE POIGNARDÉE ET LE JET D'EAU

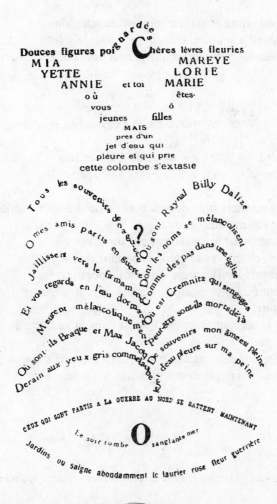

Douces figures poignardées Chères lèvres fleuries
MIA   MAREYE
YETTE   LORIE
ANNIE   et toi   MARIE
où   êtes-
vous   ô
jeunes   filles
MAIS
près d'un
jet d'eau qui
pleure et qui prie
cette colombe s'extasie

Tous les souvenirs de naguère
O mes amis partis en guerre
Où sont Raynal Billy Dalize
Dont les noms se mélancolisent
Comme des pas dans une église
Jaillissent vers le firmament
Où est Cremnitz qui s'engagea
Et vos regards en l'eau dormant
Meurent mélancoliquement
Où sont ils Braque et Max Jacob
Peut-être sont-ils morts déjà
Derain aux yeux gris comme l'aube
De souvenirs mon âme est pleine
Le jet d'eau pleure sur ma peine

CEUX QUI SONT PARTIS A LA GUERRE AU NORD SE BATTENT MAINTENANT
Le soir tombe O sanglante mer
Jardins où saigne abondamment le laurier rose fleur guerrière

2ᵉ CANONNIER CONDUCTEUR

Me voici libre et fier parmi mes compagnons
Le Réveil a sonné et dans le petit jour je salue
La fameuse Nancéenne que je n'ai pas connue

```
        AS-
    TU  CON
  NU    LA QUI
PU        TAIN   A FOUTU LA VXXXXX A TOUTE L'ARTILLERIE
DE        N  ERIE
   AₙCY L ARTILL      ne
                     s'est                        au
                     pas                         mal
                       aperçu qu'elle avait
```

Les 3 servants bras dessus bras dessous se sont endormis
    sur l'avant-train
Et conducteur par mont par val sur le porteur
Au pas au trot ou au galop je conduis le canon
Le bras de l'officier est mon étoile polaire
Il pleut mon manteau est trempé et je m'essuie parfois la
    figure
Avec la serviette-torchon qui est dans la sacoche du sous-
    verge
Voici des fantassins aux pas pesants aux pieds boueux
La pluie les pique de ses aiguilles le sac les suit

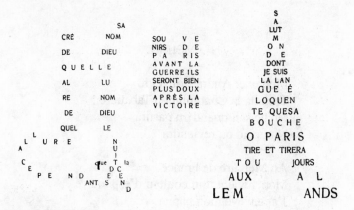

Fantassins
Marchantes mottes de terre
Vous êtes la puissance
Du sol qui vous a faits
Et c'est le sol qui va
Lorsque vous avancez
Un officier passe au galop
Comme un ange bleu dans la pluie grise
Un blessé chemine en fumant une pipe
Le lièvre détale et voici un ruisseau que j'aime
Et cette jeune femme nous salue charretiers
La Victoire se tient après nos jugulaires
Et calcule pour nos canons les mesures angulaires
Nos salves nos rafales sont ses cris de joie
Ses fleurs sont nos obus aux gerbes merveilleuses
Sa pensée se recueille aux tranchées glorieuses

J'ENTENDS CHAN
L
LE   TER l'oiseau
B   E
EL OISEAU RAPAC

VEILLE

Mon cher André Rouveyre
Troudla la Champignon Tabatière
On ne sait quand on partira
Ni quand on reviendra

Au Mercure de France
Mars revient tout couleur d'espérance
J'ai envoyé mon papier
Sur papier quadrillé

J'entends les pas des grands chevaux d'artillerie allant au
    trot sur la grand-route où moi je veille
Un grand manteau gris de crayon comme le ciel m'enve-
    loppe jusqu'à l'oreille

                Quel
                Ciel
                Triste
                Piste
                Où
                Vale
                Pâle
                Sou-
                rire
De la lune qui me regarde écrire

OMBRE

Vous voilà de nouveau près de moi
Souvenirs de mes compagnons morts à la guerre
L'olive du temps
Souvenirs qui n'en faites plus qu'un
Comme cent fourrures ne font qu'un manteau
Comme ces milliers de blessures ne font qu'un article de
    journal
Apparence impalpable et sombre qui avez pris
La forme changeante de mon ombre
Un Indien à l'affût pendant l'éternité
Ombre vous rampez près de moi
Mais vous ne m'entendez plus
Vous ne connaîtrez plus les poèmes divins que je chante
Tandis que moi je vous entends je vous vois encore
Destinées
Ombre multiple que le soleil vous garde
Vous qui m'aimez assez pour ne jamais me quitter
Et qui dansez au soleil sans faire de poussière
Ombre encre du soleil
Écriture de ma lumière
Caisson de regrets
Un dieu qui s'humilie

C'EST LOU[1] QU'ON LA NOMMAIT

Il est des loups de toute sorte
Je connais le plus inhumain
Mon cœur que le diable l'emporte
Et qu'il le dépose à sa porte
N'est plus qu'un jouet dans sa main

Les loups jadis étaient fidèles
Comme sont les petits toutous
Et les soldats amants des belles
Galamment en souvenir d'elles
Ainsi que les loups étaient doux

Mais aujourd'hui les temps sont pires
Les loups sont tigres devenus
Et les soldats et les Empires
Les Césars devenus Vampires
Sont aussi cruels que Vénus

J'en ai pris mon parti Rouveyre
Et monté sur mon grand cheval
Je vais bientôt partir en guerre
Sans pitié chaste et l'œil sévère
Comme ces guerriers qu'Épinal

Vendait Images populaires
Que Georgin gravait dans le bois

1. Lou : Louise de Coligny-Châtillon, avec qui le poète eut une aventure ardente
et courte avant de partir sur le front.

Où sont-ils ces beaux militaires
Soldats passés Où sont les guerres
Où sont les guerres d'autrefois

CASE D'ARMONS

La 1re édition à 25 exemplaires de Case d'Armons *a été poly-graphiée sur papier quadrillé, à l'encre violette, au moyen de gélatine, à la batterie de tir (45e batterie, 38e Régiment d'artille-rie de campagne) devant l'ennemi, et le tirage a été achevé le 17 juin 1915.*

LOIN DU PIGEONNIER

Et vous savez pourquoi

Pour,
quoi la chère couleu vre se love de la mer jus qu'a l'espoir a tten
l'Est dri de ssant

Xexa
èdres
bar
belés
mais un secret
collines bleues
en sentinelle

Malourène 75 Canteraine

dans la
Forêt
où
nous chantons

O gerbes
des
3o5
en déroute

■ Hexaèdre : jeu de mots du poète sur les deux sens du terme, le plus courant signifiant un objet de six côtés plans (comme le cube), le plus rare un cheval de frise, autrement dit une pièce de bois ou de métal hérissée de pointes ou de barbelés, utilisée dans les retranchements. ■ 75 : numéro qui donne le nom à un canon. ■ 305 : autre canon.

RECONNAISSANCE

À Mademoiselle P...

Un seul bouleau crépusculaire
Pâlit au seuil de l'horizon
Où fuit la mesure angulaire
Du cœur à l'âme et la raison

Le galop bleu des souvenances
Traverse les lilas des yeux

Et les canons des indolences
Tirent mes songes vers
                    les
                        cieux

S P

Au maréchal des logis
René Berthier.

Qu'est-ce qu'on y met
Dans la case d'armons
Espèce de poilu de mon cœur

Pan pan pan
Perruque perruque
Pan pan pan
Perruque à canon

Pour lutter contre les vapeurs
les lunettes pour protéger les yeux
au moyen d'un masque nocivité gaz
un tissu trempé mouchoir des nez

dans
la so
lution
de bi
carbo
nate de
sodium

Les masques seront sim
plement mouillés des lar
mes de rire de rire

■ SP : abréviation pour «Secteur postal».

VISÉE

À Madame René Berthier.

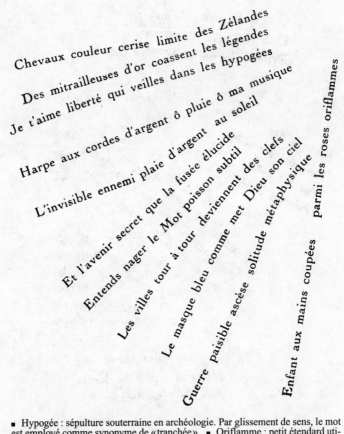

Chevaux couleur cerise limite des Zélandes

Des mitrailleuses d'or coassent les légendes

Je t'aime liberté qui veilles dans les hypogées

Harpe aux cordes d'argent ô pluie ô ma musique

L'invisible ennemi plaie d'argent au soleil

Et l'avenir secret que la fusée élucide

Entends nager le Mot poisson subtil

Les villes tour à tour deviennent des clefs

Le masque bleu comme met Dieu son ciel

Guerre paisible ascèse solitude métaphysique

Enfant aux mains coupées

parmi les roses oriflammes

■ Hypogée : sépulture souterraine en archéologie. Par glissement de sens, le mot est employé comme synonyme de «tranchée». ■ Oriflamme : petit étendard utilisé pour l'apparat ou l'ornement.

1915

Soldats

de FAÏENCE

et d'ESCA-

RBoUCL

E

Ō AMOUR

■ Escarboucle : variété de grenat rouge foncé d'un éclat vif. Pierre précieuse représentée sur les blasons au Moyen Âge ; on lui prêtait des pouvoirs merveilleux.

CARTE POSTALE *à Jean Royère*

CORRESPONDANCE

Nous sommes bien

mais l'auto-bazar qu'on

dit merveilleux

ne vient pas jusqu'ici.

LUL

on les
aura

SAILLANT

À André Level.

Rapidité attentive à peine un peu d'incertitude
Mais un dragon à pied sans armes
Parmi le vent quand survient la

	S	torpille aérienne	
	A	Le balai de verdure	Grain
Salut	L	T'en souviens-tu	de
Le Rapace	U	Il est ici dans les pierres	blé
	T	Du beau royaume dévasté	

Mais la couleuvre me regarde dressée comme une épée

Vive comme un cheval pif[1]
Un trou d'obus propre comme une salle de bain
　　　Berger suivi de son troupeau mordoré
　　　　Mais où est un cœur et le svastica[2]
　　Aÿ[3] Ancien nom du renom
　　　Le crapaud chantait les saphirs nocturnes

Lou　　　　　　　VIVE
Lou Verzy　　　　　LE
　　　　　　　　CAPISTON

Et le long du canal des filles s'en allaient

1. Pif : terme équestre caractérisant un cheval mâle dont l'un des testicules ne s'est pas développé normalement.
2. Svastica : symbole sacré de l'Inde en forme de croix à branches coudées.
3. Aÿ : vin de Champagne très renommé.

GUERRE

Rameau central de combat
      Contact par l'écoute
On tire dans la direction « des bruits entendus »
Les jeunes de la classe 1915
Et ces fils de fer électrisés
Ne pleurez donc pas sur les horreurs de la guerre
Avant elle nous n'avions que la surface
De la terre et des mers
Après elle nous aurons les abîmes
Le sous-sol et l'espace aviatique
Maîtres du timon
Après après
Nous prendrons toutes les joies
Des vainqueurs qui se délassent
Femmes Jeux Usines Commerce
Industrie Agriculture Métal
Feu Cristal Vitesse
Voix Regard Tact à part
Et ensemble dans le tact venu de loin
De plus loin encore
De l'Au-delà de cette terre

MUTATION

Une femme qui pleurait
   Eh! Oh! Ha!
Des soldats qui passaient
   Eh! Oh! Ha!
Un éclusier qui pêchait
   Eh! Oh! Ha!
Les tranchées qui blanchissaient
   Eh! Oh! Ha!
Des obus qui pétaient
   Eh! Oh! Ha!
Des allumettes qui ne prenaient pas
   Et tout
     A tant changé
      En moi
    Tout
     Sauf mon Amour
      Eh! Oh! Ha!

ORACLES

Je porte votre bague
Elle est très finement ciselée
Le sifflet me fait plus plaisir
Qu'un palais égyptien
Le sifflet des tranchées
Tu sais
Tout au plus si je n'arrête pas
Les métros et les taxis avec
Ô Guerre
Multiplication de l'amour

Petit

    Sifflet

à 2 trous

Avec un fil
on prend
la mesure
du doigt

14 JUIN 1915

On ne peut rien dire
Rien de ce qui se passe
Mais on change de Secteur
Ah! voyageur égaré
Pas de lettres
Mais l'espoir
Mais un journal
Le glaive antique de la Marseillaise de Rude
S'est changé en constellation
Il combat pour nous au ciel
Mais cela signifie surtout
Qu'il faut être de ce temps
Pas de glaive antique
Pas de Glaive
Mais l'Espoir

DE LA BATTERIE DE TIR

Au maréchal des logis F. Bodard.

Nous sommes ton collier France
Venus des Atlantides ou bien des Négrities
Des Eldorados ou bien des Cimméries[1]
Rivière d'hommes forts et d'obus dont l'orient chatoie
Diamants qui éclosent la nuit
                    Ô Roses ô France
Nous nous pâmons de volupté
À ton cou penché vers l'Est
Nous sommes l'Arc-en-terre
Signe plus pur que l'Arc-en-Ciel
    Signe de nos origines profondes
                    Étincelles
Ô nous les très belles couleurs

---

1. Atlantide : île merveilleuse qui aurait existé il y a très longtemps et qui aurait été engloutie à la suite d'un cataclysme. – Eldorado : contrée fabuleuse de l'Amérique du Sud où l'or se trouvait en très grande quantité. – Cimméries : nom inventé à partir du grec «Kimmeroi», peuple de la mer Noire, confondu avec un peuple de la mythologie grecque qui vivait dans un lieu proche des Enfers.

ÉCHELON

Grenouilles et rainettes
Crapauds et crapoussins[1]
Ascèse sous les peupliers et les frênes
La reine des prés va fleurir
Une petite hutte dans la forêt
Là-bas plus blanche est la blessure

Le Ciel

Coquelicots
Flacon au col d'or
On a pendu la mort
À la lisière du bois
On a pendu la mort
Et ses beaux seins dorés
Se montrent tour à tour

On tire contre avions
Verdun

L'orvet
Le sac à malice
La trousse à boutons

Ô rose toujours vive
Ô France
Embaume les espoirs d'une armée qui halète

Le Loriot chante

N'est-ce pas rigolo

Enfin une plume d'épervier

1. Crapaud : canon trapu. – Crapoussin : nom français d'un canon allemand.

VERS LE SUD

Zénith
    Tous ces regrets
             Ces jardins sans limite
Où le crapaud module un tendre cri d'azur
La biche du silence éperdu passe vite
Un rossignol meurtri par l'amour chante sur
Le rosier de ton corps dont j'ai cueilli les roses
Nos cœurs pendent ensemble au même grenadier
Et les fleurs de grenade en nos regards écloses
En tombant tour à tour ont jonché le sentier

LES SOUPIRS DU SERVANT DE DAKAR[1]

C'est dans la cagnat[2] en rondins voilés d'osier
Auprès des canons gris tournés vers le nord
      Que je songe au village africain
Où l'on dansait où l'on chantait où l'on faisait l'amour
        Et de longs discours
          Nobles et joyeux

      Je revois mon père qui se battit
      Contre les Achantis[3]
Au service des Anglais
      Je revois ma sœur au rire en folie
      Aux seins durs comme des obus
         Et je revois
Ma mère la sorcière qui seule du village
        Méprisait le sel
      Piler le millet dans un mortier
Je me souviens du si délicat si inquiétant
Fétiche dans l'arbre
Et du double fétiche de la fécondité
Plus tard une tête coupée
Au bord d'un marécage
Ô pâleur de mon ennemi
C'était une tête d'argent
      Et dans le marais

1. Le servant de Dakar : Apollinaire rappelle ici que bon nombre de soldats envoyés en première ligne pour défendre la France étaient des hommes venus des colonies africaines.
2. Cagnat, ou cagna : abri militaire.
3. Achantis : peuple africain de l'actuel Ghana, connu pour son travail de l'or.

C'était la lune qui luisait
C'était donc une tête d'argent
Là-haut c'était la lune qui dansait
C'était donc une tête d'argent
Et moi dans l'antre j'étais invisible
C'était donc une tête de nègre dans la nuit profonde
Similitudes Pâleurs
Et ma sœur
Suivit plus tard un tirailleur
Mort à Arras

Si je voulais savoir mon âge
Il faudrait le demander à l'évêque
Si doux si doux avec ma mère
De beurre de beurre avec ma sœur
C'était dans une petite cabane
Moins sauvage que notre cagnat de canonniers-servants
J'ai connu l'affût au bord des marécages
Où la girafe boit les jambes écartées
J'ai connu l'horreur de l'ennemi qui dévaste
Le Village
Viole les femmes
Emmène les filles
Et les garçons dont la croupe dure sursaute
J'ai porté l'administrateur des semaines
De village en village
En chantonnant
Et je fus domestique à Paris
Je ne sais pas mon âge
Mais au recrutement
On m'a donné vingt ans
Je suis soldat français on m'a blanchi du coup

Secteur 59 je ne peux pas dire où
Pourquoi donc être blanc est-ce mieux qu'être noir
Pourquoi ne pas danser et discourir
Manger et puis dormir
Et nous tirons sur les ravitaillements boches
Ou sur les fils de fer devant les bobosses
Sous la tempête métallique
Je me souviens d'un lac affreux
Et de couples enchaînés par un atroce amour
Une nuit folle
Une nuit de sorcellerie
Comme cette nuit-ci
Où tant d'affreux regards
Éclatent dans le ciel splendide

TOUJOURS

À Madame Faure-Favier.

Toujours
Nous irons plus loin sans avancer jamais

Et de planète en planète
De nébuleuse en nébuleuse
Le don Juan des mille et trois comètes[1]
Même sans bouger de la terre
Cherche les forces neuves
Et prend au sérieux les fantômes

Et tant d'univers s'oublient
Quels sont les grands oublieurs
Qui donc saura nous faire oublier telle ou telle partie du
monde
Où est le Christophe Colomb à qui l'on devra l'oubli d'un
continent

Perdre
Mais perdre vraiment
Pour laisser place à la trouvaille
Perdre
La vie pour trouver la Victoire

---

1. Don Juan des mille et trois comètes : référence à la liste des mille et trois femmes dont don Juan aurait été l'amant.

FÊTE

À André Rouveyre.

Feu d'artifice en acier
Qu'il est charmant cet éclairage
   Artifice d'artificier
Mêler quelque grâce au courage

Deux fusants
Rose éclatement
Comme deux seins que l'on dégrafe
Tendent leurs bouts insolemment
IL SUT AIMER
          quelle épitaphe

Un poète dans la forêt
Regarde avec indifférence
   Son revolver au cran d'arrêt
Des roses mourir d'espérance

Il songe aux roses de Saadi[1]
Et soudain sa tête se penche
Car une rose lui redit
La molle courbe d'une hanche

---

1. Roses de Saadi : double référence, la première à l'un des plus grands poètes persans, qui vécut au XIIIe siècle, la seconde à un poème de Marceline Desbordes-Valmore, écrivain romantique : «Les Roses de Saadi».

L'air est plein d'un terrible alcool[1]
Filtré des étoiles mi-closes
Les obus caressent le mol
Parfum nocturne où tu reposes
    Mortification des roses

1. Alcool : rappelons le titre du recueil antérieur, *Alcools*.

MADELEINE

Dans le village   arabe

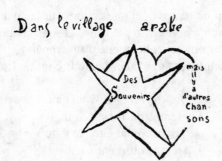

Photographie tant attendue

LES SAISONS

C'était un temps béni nous étions sur les plages
Va-t'en de bon matin pieds nus et sans chapeau
Et vite comme va la langue d'un crapaud
L'amour blessait au cœur les fous comme les sages

As-tu connu Guy au galop
Du temps qu'il était militaire
As-tu connu Guy au galop
Du temps qu'il était artiflot[1]
À la guerre

C'était un temps béni Le temps du vaguemestre
On est bien plus serré que dans les autobus
Et des astres passaient que singeaient les obus
Quand dans la nuit survint la batterie équestre

As-tu connu Guy au galop
Du temps qu'il était militaire
As-tu connu Guy au galop
Du temps qu'il était artiflot
À la guerre

C'était un temps béni Jours vagues et nuits vagues
Les marmites donnaient aux rondins des cagnats
Quelque aluminium où tu t'ingénias
À limer jusqu'au soir d'invraisemblables bagues

1. Artiflot : mot argotique du vocabulaire militaire synonyme d'artilleur.

As-tu connu Guy au galop
Du temps qu'il était militaire
As-tu connu Guy au galop
Du temps qu'il était artiflot
À la guerre

C'était un temps béni La guerre continue
Les Servants ont limé la bague au long des mois
Le Conducteur écoute abrité dans les bois
La chanson que répète une étoile inconnue

As-tu connu Guy au galop
Du temps qu'il était militaire
As-tu connu Guy au galop
Du temps qu'il était artiflot
À la guerre

VENU DE DIEUZE

LA NUIT D'AVRIL 1915

À L. de C.-C.

Le ciel est étoilé par les obus des Boches
La forêt merveilleuse où je vis donne un bal
La mitrailleuse joue un air à triples-croches
Mais avez-vous le mot
                    Eh! oui le mot fatal
Aux créneaux Aux créneaux Laissez là les pioches

Comme un astre éperdu qui cherche ses saisons
Cœur obus éclaté tu sifflais ta romance
Et tes mille soleils ont vidé les caissons
Que les dieux de mes yeux remplissent en silence

Nous vous aimons ô vie et nous vous agaçons

Les obus miaulaient un amour à mourir
Un amour qui se meurt est plus doux que les autres
Ton souffle nage au fleuve où le sang va tarir
Les obus miaulaient
                    Entends chanter les nôtres
Pourpre amour salué par ceux qui vont périr

Le printemps tout mouillé la veilleuse l'attaque
Il pleut mon âme il pleut mais il pleut des yeux morts

Ulysse que de jours pour rentrer dans Ithaque
Couche-toi sur la paille et songe un beau remords

Qui pur effet de l'art soit aphrodisiaque

Mais
     orgues
          aux fétus de la paille où tu dors
L'hymne de l'avenir est paradisiaque

Arrêt sur lecture 2

Journal de guerre

Le recueil s'ouvre par une dédicace qui donne tout son poids à la guerre et à ceux qui y sont morts :

« À la mémoire
Du plus ancien de mes camarades
RENÉ DALIZE
Mort au Champ d'Honneur
Le 7 mai 1917 »

Cette épitaphe* inscrit dès l'ouverture du recueil la volonté d'Apollinaire : les *Calligrammes* sont un travail de mémoire sur la Grande Guerre, un chant à l'amour et à l'amitié perdus, ainsi qu'un journal intime de guerre.

Écrire le quotidien, chanter la civilisation

La poésie pour raconter – La rédaction du recueil est intimement liée à la vie du poète qui donne quelques éléments autobiographiques précis, en épigraphe au cycle « Case d'Armons » :

La 1re édition à 25 exemplaires de *Case d'Armons* a été polygraphiée sur papier quadrillé, à l'encre violette, au moyen de gélatine, à la batterie de tir (45e batterie, 38e Régiment d'artillerie de campagne) devant l'ennemi, et le tirage a été achevé le 17 juin 1915.

En 1915, Apollinaire songe en effet à publier des poèmes en sous-cription (sur papier d'emballage de colis) pour aider ses compagnons de lutte, et les poèmes tels que *14 juin 1915* ou *La nuit d'avril 1915* trans-crivent des moments bien précis de la vie du soldat et de la maturation poétique du recueil. C'est avec le même souci de raconter – et de se raconter à soi-même pour se souvenir – que Guillaume chante le plus simplement possible des événements qui ont trait à son itinéraire de guerre (*C'est Lou qu'on la nommait*) :

> Et monté sur mon grand cheval
> Je vais bientôt partir en guerre

Défendre la France – Le quotidien, c'est la guerre, et Apollinaire s'en-gage : il n'aurait pas été obligé de combattre puisqu'il n'était pas encore français au moment de l'entrée en conflit de la France contre l'Allemagne. Et si le quotidien est important, c'est parce qu'il est la force même de la réalité, d'une réalité précise qui est celle de la France. Apollinaire est souvent cocardier* dans ses poèmes comme dans les autres textes qu'il écrit : pour lui, la France est le berceau de la civilisa-tion et de la littérature et elle a pour but d'éclairer l'humanité par sa beauté, comme les soldats ont éclairé le monde par leur courage. Apol-linaire, né italien, ayant une mère polonaise et un grand-père de natio-nalité russe, ayant voyagé en Belgique, en Allemagne, choisit l'intégra-tion à la France par amour de la poésie :

« La France n'appartient pas qu'aux Français de naissance, mais à tous ceux qui veulent retrouver ou qui souhaitent conserver le sens de la grande beauté, et de la civilisation même. »

Un nouveau lyrisme

Plusieurs niveaux de langue – Apollinaire organise la simultanéité sur tous les plans, y compris sur le plan linguistique. On voit souvent coexis-ter dans un même poème les références les plus lettrées, le vocabulaire le plus poétique et le plus lyrique avec un jargon militaire technique ou encore avec l'argot que le poète a entendu et employé lui-même dans les tranchées avec les poilus. Dans le poème *2e canonnier conducteur* on découvre ainsi le langage le plus prosaïque (« Voici des fantassins aux pas pesants aux pieds boueux »), les jurons (« sacré nom de Dieu »), les propos grivois sur les soldats qui ont contracté la syphilis en ayant une relation sexuelle avec une prostituée (« As-tu connu la putain de Nancy qui a foutu la vxxxxx [lire « vérole », autre nom de cette maladie] à toute l'artillerie »), mais aussi de splendides métaphores* (« Ses fleurs sont nos obus aux gerbes merveilleuses »). De même trouve-t-on des chansons populaires mêlées à des références culturelles, comme dans *Veille* où une chanson un peu bête voisine avec l'évocation d'une maison d'édition :

> Mon cher André Rouveyre
> Troudla la Champignon Tabatière
> On ne sait quand on partira
> Ni quand on reviendra

> Au Mercure de France
> Mars revient tout couleur d'espérance
> J'ai envoyé mon papier
> Sur papier quadrillé

La langue des soldats – Cet assemblage crée sans doute un style contrasté. Mais le plus important est en fait que le poète veut montrer qu'il n'y a pas de différence poétique entre les niveaux de langue, et que les soldats ont su créer un lyrisme* nouveau. Apollinaire emploie le vocabulaire très imagé et souvent métaphorique des militaires. On trouve dans ses poèmes les noms de « boches » et « tudesques » pour désigner l'ennemi, mais encore des innovations linguistiques nées dans les tranchées, telle la désignation des armes et des projectiles par des noms d'animaux (abeille, cigale, crapauds, crapoussins…). La guerre elle-même est porteuse de poésie à qui sait la regarder et l'entendre. Ainsi des tranchées et des boyaux qui servent au front et qui portent le nom de poètes (*Désir*) :

> Le boyau Goethe où j'ai tiré

Images de la guerre : choses vues

La poésie qui peut naître du chaos n'en cache pas moins l'horreur et les misères. Apollinaire n'idéalise pas la guerre : il montre en quoi sa violence peut faire naître une nouvelle réalité, ainsi qu'il le dit dans *La petite auto* où il transforme la date de la déclaration de guerre (le 31 juillet) en 31 août qui est la date de sa naissance :

> Et bien qu'étant déjà tous deux des hommes mûrs
> Nous venions cependant de naître

Cependant restent la vie, les rats que l'on rencontre dans les tranchées (*Le palais du tonnerre*), les amis qui meurent ou qui sont mutilés (le poète Blaise Cendrars perd une main), les hommes que l'on sacrifie, comme ces soldats africains venus de force des colonies et généralement envoyés en première ligne aux endroits les plus dangereux. Ce qu'on peut lire entre les mots dans *Les soupirs du servant de Dakar* :

> Je suis soldat français on m'a blanchi du coup
> Secteur 59 je ne peux pas dire où
> Pourquoi donc être blanc est-ce mieux qu'être noir

Pour une lecture : *La colombe poignardée et le jet d'eau*

Introduction

Ce calligramme, sans doute le plus célèbre de Guillaume Apollinaire, est l'un des plus construits sur le plan pictural. Apollinaire y développe les acquis du cubisme tout en exprimant sa mélancolie face aux femmes perdues ainsi qu'aux amis disparus à la guerre. Le poète n'a pas encore connu le front, et la colombe, symbole de la paix poignardée, parle du combat sous une forme encore abstraite.

1 – Un calligramme cubiste et futuriste

Le calligramme est composé de trois éléments qui s'étagent sur la page et créent un effet de verticalité. En effet, le jet d'eau qui monte vers le ciel et touche en plein vol la colombe naît du bassin en bas de la page.

La vie s'organise dans les tranchées où les soldats peuvent stationner pendant des semaines. Organisées en boyaux numérotés, comme s'il s'agissait d'un plan urbain avec ses rues, ces tranchées sont creusées pour protéger du feu ennemi et permettre le repos.

Ce dynamisme est proche de l'esthétique futuriste qui souhaite donner au texte une expression hors des mots eux-mêmes. Ainsi en est-il du jeu typographique sur les différents caractères : le « C » qui esquisse le cou de la colombe, les prénoms féminins qui dessinent les ailes du plumage, le « O » d'une police de caractère plus grande que le reste du texte qui figure le tuyau qui projette l'eau, le « ? » dont la courbe ressemble au jet d'eau qui monte puis redescend.

Mais l'étagement ne reprend pas les différents éléments comme dans un tableau classique. En effet, la colombe est disproportionnée par rapport au jet d'eau. Apollinaire, comme les peintres cubistes, met l'un à côté de l'autre des objets, sans envisager la question de la perspective, des différents plans. La colombe est tellement importante qu'il est tout à fait naturel qu'elle apparaisse grandie. Il ne s'agit pas pour le poète de transcrire une image bucolique mais de créer un symbole qui traduise la réalité de son sentiment.

2 – Mélancolie sentimentale et méditation poétique

Le poème est entièrement tourné vers un passé heureux mais révolu, riche en personnes à qui Guillaume fut intimement lié. Nous y retrouvons les jeunes femmes aimées (Mia, Annie, Marie, etc.), les amis peintres (Juan Gris, Braque, Derain), poètes (Max Jacob), ou les autres camarades (Raynal, Dalize, à qui est dédié le recueil tout entier). Les unes ont quitté le poète, d'autres sont à l'étranger, d'autres encore combattent au front ou sont déjà morts. Le poème trouve son nœud central autour d'une douloureuse question (le « ? » est au centre de la page) : où sont-ils et que sont-ils devenus ? et se referme sur une triste réponse : tous participent d'une façon ou d'une autre au grand combat dans des « jardins où saigne abondamment le laurier rose fleur guerrière ». Ainsi œuvrent-ils par leur courage, leur combat et leur mort à la victoire de la France (le poète superpose à l'image antique du laurier, symbole de la victoire, une image plus neuve où les feuilles de la plante représentent les plaies rouges des blessés et des morts).

La méditation mélancolique et le regard sur le passé engagent le poète à conserver des formes de lyrisme classique. Même si le poème est présenté sous une forme graphique moderne, le poète n'en conserve pas moins une construction métrique* très classique avec des octosyllabes* à rimes plates. De même peut-on y lire un jeu de mots qui indique son adhésion à la poésie passée : « le soir tombe Ô sanglante mer » est une méditation sur le « tombeau », à la fois objet qui symbolise la mort, mais aussi forme littéraire dans laquelle un poète fait l'éloge d'un disparu qui lui fut cher.

Conclusion
La colombe poignardée et le jet d'eau synthétise à merveille l'art d'Apollinaire qui veut concilier tradition et innovation et qui propose avec une grande densité l'expression picturale et lyrique.

Groupement de textes : la Grande Guerre

Louis Ferdinand Céline, *Voyage au bout de la nuit* (1932)

Louis Ferdinand Destouches (1894-1961) prend le prénom de sa grand-mère pour écrire. Il est considéré comme l'un des plus grands romanciers du XXe siècle, par la richesse et la nouveauté de son style, la verdeur de son langage et son antiacadémisme.

« Moi d'abord la campagne, faut que je vous le dise tout de suite, j'ai jamais pu la sentir, je l'ai toujours trouvée triste, avec ses bourbiers qui n'en finissent pas, ses maisons où les gens n'y sont jamais et ses chemins qui ne vont nulle part. Mais quand on vous ajoute la guerre en plus, c'est à pas y tenir. Le vent s'était levé, brutal, de chaque côté des talus, les peupliers mêlaient leurs rafales de feuilles aux petits bruits secs qui venaient de là-bas sur nous. Ces soldats inconnus nous rataient sans cesse, mais tout en nous entourant de mille morts, on s'en trouvait comme habillés. Je n'osais plus remuer.

Le colonel, c'était donc un monstre ! À présent, j'en étais assuré, pire qu'un chien, il n'imaginait pas son trépas ! Je conçus en même temps qu'il devait y en avoir beaucoup des comme lui dans notre armée, des braves, et puis autant sans doute dans l'armée d'en face. Qui savait combien ? Un, deux, plusieurs millions peut-être en tout ? Dès lors ma frousse devint panique. Avec des êtres semblables, cette imbécillité infernale pouvait continuer indéfiniment… Pourquoi s'arrêteraient-ils ? Jamais je n'avais senti plus implacable la sentence des hommes et des choses. **》** (Éditions Gallimard, Folio n° 28)

Blaise Cendrars, *Orion*

Blaise Cendrars (Frédéric Sauser, 1887-1961) est un grand voyageur. Il écrit romans et poésies sous forme de flash permettant de saisir la profondeur du monde en perpétuel mouvement. Dans ce poème, il évoque la main qu'il a perdue pendant la Première Guerre mondiale.

《 C'est mon étoile
Elle a la forme d'une main
C'est la main montée au ciel
Durant toute cette guerre je voyais Orion
Par un créneau
Quand les Zeppelins venaient bombarder Paris,
Ils venaient toujours d'Orion
Aujourd'hui je l'ai au-dessus de la tête
Le grand mât perce la paume de cette main
    Qui doit souffrir
Comme ma main coupée me fait souffrir percée
    Qu'elle est par un dard continuel. **》** (*Feuilles de route*, Éditions Denoël)

Henri Barbusse, *Le Feu* (1916)

Henri Barbusse (1873-1935) participe aux mouvements futuriste et cubiste puis tente de fixer les critères de la littérature prolétarienne. C'est avec son roman *Le Feu* qu'il connaît la célébrité et obtient le prix Goncourt. Le roman est le journal d'un groupe de soldats, sorte de compte rendu précis de la vie au front.

《 On était désemparés. On avait faim, on avait soif et dans ce malheureux cantonnement, rien.

Le ravitaillement, d'ordinaire régulier, avait fait défaut, alors, la privation arrivait à l'état aigu.

Un groupe hâve grinçait des dents, et la maigre place faisait un cercle tout autour, avec ses poternes décharnées, avec ses ossements de maisons, et ses poteaux télégraphiques chauves. Le groupe constatait l'absence de tout :

– L'caoutchouc a fait l'mur, nib la bidoche, et on s'met la ceinture d'électrique.

– Quant au fromgi, macache, et pas pus d'confiture que d'beurre en branche.

– On n'a rien, sans fifrer, on n'a rien, et toute la rouscaillure n'y f'ra pas rien.

– Aussi, tu parles d'un cantonnement à la mangue ! trois canfouines avec rien d'dans, que des courants d'air et d'la flotte ! 》 (Éditions Flammarion)

La Chanson de Craonne

Chanson de Paul Vaillant-Couturier (1892-1937), grande figure politique du début du siècle qui eut une grande faveur pour la paix, elle fut chantée par les poilus et considérée comme un hymne de révolte contre la grande boucherie de la guerre. Craonne est un village situé sur un plateau de l'Aisne, non loin du Chemin des Dames où se passa l'une des plus terribles batailles entre Français et Allemands. Craonne est proche de Berry-au-Bac où Apollinaire fut blessé par un éclat d'obus.

《 Quand au bout d'huit jours, le repos terminé,
On va rejoindre les tranchées,
Notre place est si utile
Que sans nous on prend la pile[1].
Mais c'est bien fini, on en a assez,
Personne ne veut plus marcher.
Et le cœur bien gros comme un sanglot
On dit adieu aux civelots[2].

1. Pile : argot militaire qui signifie une importante défaite.
2. Civelot : argot militaire qui désigne ceux qui sont restés à l'arrière.

Même sans tambour, même sans trompette,
On s'en va là-haut en baissant la tête.
Adieu la vie, adieu l'amour, adieu toutes les femmes.
C'est bien fini, c'est pour toujours de cette guerre infâme.
C'est à Craonne, sur le plateau, qu'on doit laisser sa peau :
Nous sommes les sacrifiés. »

à vous...

Atelier d'écriture

1 – Travail sur les niveaux de langue : choisissez un texte poétique et tentez de le transposer dans un univers argotique.

2 – Travail sur les niveaux de langue : reprenez une discussion que vous avez eue avec un/une de vos camarades et transposez-la dans un style poétique.

3 – À partir de documents écrits et iconographiques photocopiés concernant la Première Guerre mondiale, composez un calligramme avec la technique du couper-coller.

LUEURS DES TIRS

LA GRÂCE EXILÉE

Va-t'en va-t'en mon arc-en-ciel
Allez-vous-en couleurs charmantes
Cet exil t'est essentiel
Infante aux écharpes changeantes

Et l'arc-en-ciel est exilé
Puisqu'on exile qui l'irise
Mais un drapeau s'est envolé
Prendre ta place au vent de bise

LA BOUCLE RETROUVÉE

Il retrouve dans sa mémoire
La boucle de cheveux châtains
T'en souvient-il à n'y point croire
De nos deux étranges destins

Du boulevard de la Chapelle
Du joli Montmartre et d'Auteuil
Je me souviens murmure-t-elle
Du jour où j'ai franchi ton seuil

Il y tomba comme un automne
La boucle de mon souvenir
Et notre destin qui t'étonne
Se joint au jour qui va finir

REFUS DE LA COLOMBE

Mensonge de l'Annonciade
La Noël fut la Passion
Et qu'elle était charmante et sade[1]
Cette renonciation

Si la colombe poignardée
Saigne encore de ses refus
J'en plume les ailes l'idée
Et le poème que tu fus

---

1. Sade : jeu de mots comme les aime Apollinaire : l'adjectif est emprunté à l'anglais et signifie «triste». Mais on lit aussi sous l'adjectif le nom du marquis de Sade, connu pour une œuvre libertine où la violence des passions érotiques est portée à son plus haut point dans l'histoire de la littérature et de la philosophie.

LES FEUX DU BIVOUAC

Les feux mouvants du bivouac
Éclairent des formes de rêve
Et le songe dans l'entrelacs
Des branches lentement s'élève

Voici les dédains du regret
Tout écorché comme une fraise
Le souvenir et le secret
Dont il ne reste que la braise

LES GRENADINES REPENTANTES

En est-il donc deux dans Grenade
Qui pleurent sur ton seul péché
Ici l'on jette la grenade
Qui se change en un œuf coché

Puisqu'il en naît des coqs Infante
Entends-les chanter leurs dédains
Et que la grenade est touchante
Dans nos effroyables jardins

TOURBILLON DE MOUCHES

Un cavalier va dans la plaine
La jeune fille pense à lui
Et cette flotte à Mytilène[1]
Le fil de fer est là qui luit

Comme ils cueillaient la rose ardente
Leurs yeux tout à coup ont fleuri
Mais quel soleil la bouche errante
À qui la bouche avait souri

1. Mytilène : ville grecque de l'île de Lesbos. Le poème fait référence à un épisode de l'histoire grecque du Ve siècle avant J.-C.

L'ADIEU DU CAVALIER

Ah Dieu ! que la guerre est jolie
Avec ses chants ses longs loisirs
Cette bague je l'ai polie
Le vent se mêle à vos soupirs

Adieu ! voici le boute-selle[1]
Il disparut dans un tournant
Et mourut là-bas tandis qu'elle
Riait au destin surprenant

1. Boute-selle : personne chargée de seller les chevaux et d'aider les cavaliers à monter.

LE PALAIS DU TONNERRE

Par l'issue ouverte sur le boyau dans la craie
En regardant la paroi adverse qui semble en nougat
On voit à gauche et à droite fuir l'humide couloir désert
Où meurt étendue une pelle à la face effrayante à deux yeux
    réglementaires qui servent à l'attacher sous les caissons
Un rat y recule en hâte tandis que j'avance en hâte
Et le boyau s'en va couronné de craie semé de branches
Comme un fantôme creux qui met du vide où il passe blan-
    châtre
Et là-haut le toit est bleu et couvre bien le regard fermé par
    quelques lignes droites
Mais en deçà de l'issue c'est le palais bien nouveau et qui
    paraît ancien
Le plafond est fait de traverses de chemin de fer
Entre lesquelles il y a des morceaux de craie et des touffes
    d'aiguilles de sapin
Et de temps en temps des débris de craie tombent comme
    des morceaux de vieillesse
À côté de l'issue que ferme un tissu lâche d'une espèce qui
    sert généralement aux emballages
Il y a un trou qui tient lieu d'âtre et ce qui y brûle est un feu
    semblable à l'âme
Tant il tourbillonne et tant il est inséparable de ce qu'il
    dévore et fugitif
Les fils de fer se tendent partout servant de sommier sup-
    portant des planches
Ils forment aussi des crochets et l'on y suspend mille choses
Comme on fait à la mémoire

Des musettes bleues des casques bleus des cravates bleues
   des vareuses bleues
Morceaux du ciel tissus des souvenirs les plus purs
Et il flotte parfois en l'air de vagues nuages de craie

Sur la planche brillent des fusées détonateurs joyaux dorés
   à tête émaillée
Noirs blancs rouges
Funambules qui attendent leur tour de passer sur les trajec-
   toires
Et font un ornement mince et élégant à cette demeure sou-
   terraine
Ornée de six lits placés en fer à cheval
Six lits couverts de riches manteaux bleus

Sur le palais il y a un haut tumulus[1] de craie
Et des plaques de tôle ondulée
Fleuve figé de ce domaine idéal
Mais privé d'eau car ici il ne roule que le feu jailli de la
   mélinite
Le parc aux fleurs de fulminate[2] jaillit des trous penchés
Tas de cloches aux doux sons des douilles rutilantes
Sapins élégants et petits comme en un paysage japonais
Le palais s'éclaire parfois d'une bougie à la flamme aussi
   petite qu'une souris
Ô palais minuscule comme si on te regardait par le gros
   bout d'une lunette
Petit palais où tout s'assourdit
Petit palais où tout est neuf rien rien d'ancien

1. Tumulus : amas de terre ou de pierres élevé au-dessus d'une tombe.
2. Fulminate : sel détonant de mercure et d'or, utilisé comme amorce dans les
armes à feu.

Et où tout est précieux où tout le monde est vêtu comme un
    roi
Une selle est dans un coin à cheval sur une caisse
Un journal du jour traîne par terre
Et cependant tout paraît vieux dans cette neuve demeure
Si bien qu'on comprend que l'amour de l'antique
Le goût de l'anticaille[1]
Soit venu aux hommes dès le temps des cavernes
Tout y était si précieux et si neuf
Tout y est si précieux et si neuf
Qu'une chose plus ancienne ou qui a déjà servi y apparaît
                Plus précieuse
Que ce qu'on a sous la main
Dans ce palais souterrain creusé dans la craie si blanche et
    si neuve
Et deux marches neuves
            Elles n'ont pas deux semaines
Sont si vieilles et si usées dans ce palais qui semble antique
    sans imiter l'antique
Qu'on voit que ce qu'il y a de plus simple de plus neuf est
    ce qui est
Le plus près de ce que l'on appelle la beauté antique
Et ce qui est surchargé d'ornements
A besoin de vieillir pour avoir la beauté qu'on appelle
    antique
Et qui est la noblesse la force l'ardeur l'âme l'usure
De ce qui est neuf et qui sert
Surtout si cela est simple simple
Aussi simple que le petit palais du tonnerre

---

1. Anticaille : argotique et péjoratif, synonyme d'antiquité.

PHOTOGRAPHIE

Ton sourire m'attire comme
Pourrait m'attirer une fleur
Photographie tu es le champignon brun
De la forêt
Qu'est sa beauté
Les blancs y sont
Un clair de lune
Dans un jardin pacifique
Plein d'eaux vives et de jardiniers endiablés
Photographie tu es la fumée de l'ardeur
Qu'est sa beauté
Et il y a en toi
Photographie
Des tons alanguis
On y entend
Une mélopée[1]
Photographie tu es l'ombre
Du Soleil
Qu'est sa beauté

---

1. Mélopée : chant dont la mélodie est monotone.

L'INSCRIPTION ANGLAISE

C'est quelque chose de si ténu de si lointain
Que d'y penser on arrive à le trop matérialiser
Forme limitée par la mer bleue
Par la rumeur d'un train en marche
Par l'odeur des eucalyptus des mimosas
Et des pins maritimes

Mais le contact et la saveur

Et cette petite voyageuse alerte inclina brusquement la tête
    sur le quai de la gare à Marseille
                Et s'en alla
                Sans savoir
Que son souvenir planerait
Sur un petit bois de la Champagne où un soldat s'efforce
Devant le feu d'un bivouac d'évoquer cette apparition
À travers la fumée d'écorce de bouleau
Qui sent l'encens minéen[1]
Tandis que les volutes bleuâtres qui montent
D'un cigare écrivent le plus tendre des noms
Mais les nœuds de couleuvres en se dénouant
Écrivent aussi le nom émouvant
Dont chaque lettre se love en belle anglaise

Et le soldat n'ose point achever
Le jeu de mots bilingue que ne manque point de susciter
Cette calligraphie sylvestre et vernale

---

1. Encens minéen : encore une fois, nous voyons la prédilection de Guillaume Apollinaire pour l'érudition. Il fait ici référence à un passage des *Histoires naturelles* de l'auteur latin Pline (Livre XII, chap. XXX).

DANS L'ABRI-CAVERNE

Je me jette vers toi et il me semble aussi que tu te jettes vers
    moi

Une force part de nous qui est un feu solide qui nous soude

Et puis il y a aussi une contradiction qui fait que nous ne
    pouvons nous apercevoir

En face de moi la paroi de craie s'effrite

Il y a des cassures

De longues traces d'outils traces lisses et qui semblent être
    faites dans de la stéarine

Des coins de cassures sont arrachés par le passage des types
    de ma pièce

Moi j'ai ce soir une âme qui s'est creusée qui est vide

On dirait qu'on y tombe sans cesse et sans trouver de fond

Et qu'il n'y a rien pour se raccrocher

Ce qui y tombe et qui y vit c'est une sorte d'êtres laids qui
    me font mal et qui viennent de je ne sais où

Oui je crois qu'ils viennent de la vie d'une sorte de vie qui
    est dans l'avenir dans l'avenir brut qu'on n'a pu encore
    cultiver ou élever ou humaniser

Dans ce grand vide de mon âme il manque un soleil il
    manque ce qui éclaire

C'est aujourd'hui c'est ce soir et non toujours

Heureusement que ce n'est que ce soir

Les autres jours je me rattache à toi

Les autres jours je me console de la solitude et de toutes les
    horreurs

En imaginant ta beauté

Pour l'élever au-dessus de l'univers extasié

Puis je pense que je l'imagine en vain
Je ne la connais par aucun sens
Ni même par les mots
Et mon goût de la beauté est-il donc aussi vain
Existes-tu mon amour
Ou n'es-tu qu'une entité que j'ai créée sans le vouloir
Pour peupler la solitude
Es-tu une de ces déesses comme celles que les Grecs
    avaient douées pour moins s'ennuyer
Je t'adore ô ma déesse exquise même si tu n'es que dans
    mon imagination

FUSÉE

La boucle des cheveux noirs de ta nuque est mon trésor
Ma pensée te rejoint et la tienne la croise
Tes seins sont les seuls obus que j'aime
Ton souvenir est la lanterne de repérage qui nous sert à
   pointer la nuit

En voyant la large croupe de mon cheval j'ai pensé à tes
   hanches

Voici les fantassins qui s'en vont à l'arrière en lisant un
   journal

Le chien du brancardier revient avec une pipe dans sa
   gueule

Un chat-huant ailes fauves yeux ternes gueule de petit chat
   et pattes de chat

Une souris verte file parmi la mousse

Le riz a brûlé dans la marmite de campement
Ça signifie qu'il faut prendre garde à bien des choses

Le mégaphone crie
Allongez le tir

Allongez le tir amour de vos batteries

Balance des batteries lourdes cymbales

Qu'agitent les chérubins fous d'amour
En l'honneur du Dieu des Armées

Un arbre dépouillé sur une butte

Le bruit des tracteurs qui grimpent dans la vallée

Ô vieux monde du XIXe siècle plein de hautes cheminées si
    belles et si pures

Virilités du siècle où nous sommes
Ô canons

Douilles éclatantes des obus de 75
Carillonnez pieusement

DÉSIR

Mon désir est la région qui est devant moi
Derrière les lignes boches
Mon désir est aussi derrière moi
Après la zone des armées

Mon désir c'est la butte du Mesnil
Mon désir est là sur quoi je tire
De mon désir qui est au-delà de la zone des armées
Je n'en parle pas aujourd'hui mais j'y pense

Butte du Mesnil je t'imagine en vain
Des fils de fer des mitrailleuses des ennemis trop sûrs d'eux
Trop enfoncés sous terre déjà enterrés

Ca ta clac des coups qui meurent en s'éloignant

En y veillant tard dans la nuit
Le Decauville[1] qui toussote
La tôle ondulée sous la pluie
Et sous la pluie ma bourguignotte[2]

Entends la terre véhémente
Vois les lueurs avant d'entendre les coups

Et tel obus siffler de la démence
Ou le tac tac tac monotone et bref plein de dégoût

1. Le Decauville : petit chemin de fer démontable et transportable.
2. Bourguignotte : nom d'un casque des soldats de 14-18.

Je désire
Te serrer dans ma main Main de Massiges[1]
Si décharnée sur la carte
Le boyau Goethe[2] où j'ai tiré
J'ai tiré même sur le boyau Nietzsche
Décidément je ne respecte aucune gloire
Nuit violente et violette et sombre et pleine d'or par mo-
    ments
Nuit des hommes seulement

Nuit du 24 septembre
Demain l'assaut
Nuit violente ô nuit dont l'épouvantable cri profond deve-
    nait plus intense de minute en minute
Nuit qui criait comme une femme qui accouche
Nuit des hommes seulement

1. Main de Massiges : dispositif allemand.
2. Boyau Goethe : les tranchées, ou boyaux, portaient des noms.

CHANT DE L'HORIZON EN CHAMPAGNE

À M. Joseph Granié.

Voici le tétin rose de l'euphorbe verruquée[1]
Voici le nez des soldats invisibles
Moi l'horizon invisible je chante
Que les civils et les femmes écoutent ces chansons
Et voici d'abord la cantilène[2] du brancardier blessé

Le sol est blanc la nuit l'azure
Saigne la crucifixion
Tandis que saigne la blessure
Du soldat de Promission[3]

Un chien jappait l'obus miaule
La lueur muette a jailli
À savoir si la guerre est drôle
Les masques n'ont pas tressailli

Mais quel fou rire sous le masque
Blancheur éternelle d'ici
Où la colombe porte un casque
Et l'acier s'envole aussi

Je suis seul sur le champ de bataille
Je suis la tranchée blanche le bois vert et roux

1. Euphorbe verruquée : plante vivace contenant un suc laiteux.
2. Cantilène : chant profane d'un genre simple.
3. Promission : mot vieilli pour promesse. Ici, le poète joue sur l'expression : soldat en permission.

L'obus miaule
Je te tuerai
Animez-vous fantassins à passepoil[1] jaune
Grands artilleurs roux comme des taupes
Bleu-de-roi comme les golfes méditerranéens
Veloutés de toutes les nuances du velours
Ou mauves encore ou bleu-horizon comme les autres
Ou déteints
Venez le pot en tête
Debout fusée éclairante
Danse grenadier en agitant tes pommes de pin
Alidades des triangles de visée pointez-vous sur les lueurs
Creusez des trous enfants de 20 ans creusez des trous
        Sculptez les profondeurs
Envolez-vous essaims des avions blonds ainsi que les
   avettes
Moi l'horizon je fais la roue comme un grand Paon
Écoutez renaître les oracles qui avaient cessé
        Le grand Pan est ressuscité
Champagne viril qui émoustille la Champagne
Hommes faits jeunes gens
Caméléon des autos-canons
Et vous classe 16
Craquements des arrivées ou bien floraison blanche dans les
   cieux
J'étais content pourtant ça brûlait la paupière
Les officiers captifs voulaient cacher leurs noms
Œil du Breton blessé couché sur la civière
Et qui criait aux morts aux sapins aux canons
Priez pour moi Bon Dieu je suis le pauvre Pierre

---

1. Passepoil : bordure de tissu formant un dépassement entre deux pièces cousues, spécialement sur les coutures d'un uniforme.

Boyaux et rumeur du canon
Sur cette mer aux blanches vagues
Fou stoïque comme Zénon[1]
Pilote du cœur tu zigzagues

Petites forêts de sapins
La nichée attend la becquée
Pointe-t-il des nez de lapins
Comme l'euphorbe verruquée

Ainsi que l'euphorbe d'ici
Le soleil à peine boutonne
Je l'adore comme un Parsi[2]
Ce tout petit soleil d'automne

Un fantassin presque un enfant
Bleu comme le jour qui s'écoule
Beau comme mon cœur triomphant
Disait en mettant sa cagoule

Tandis que nous n'y sommes pas
Que de filles deviennent belles
Voici l'hiver et pas à pas
Leur beauté s'éloignera d'elles

Ô Lueurs soudaines des tirs
Cette beauté que j'imagine

---

1. Zénon (de Citium) : philosophe grec propagadeur du stoïcisme, doctrine selon laquelle le bonheur est dans la vertu et qui professe l'insensibilité devant ce qui affecte généralement les hommes.
2. Parsi : personne qui, en Inde, suivait les enseignements religieux de Zoroastre.

Faute d'avoir des souvenirs
Tire de vous son origine

Car elle n'est rien que l'ardeur
De la bataille violente
Et de la terrible lueur
Il s'est fait une muse ardente

Il regarde longtemps l'horizon
Couteaux tonneaux d'eaux
Des lanternes allumées se sont croisées
Moi l'horizon je combattrai pour la victoire

Je suis l'invisible qui ne peut disparaître
Je suis comme l'onde
Allons ouvrez les écluses que je me précipite et renverse
    tout

OCÉAN DE TERRE

À G. de Chirico.

J'ai bâti une maison au milieu de l'Océan
Ses fenêtres sont les fleuves qui s'écoulent de mes yeux
Des poulpes grouillent partout où se tiennent les murailles
Entendez battre leur triple cœur et leur bec cogner aux vitres
            Maison humide
            Maison ardente
            Saison rapide
            Saison qui chante
        Les avions pondent des œufs
        Attention on va jeter l'ancre
Attention à l'encre que l'on jette
Il serait bon que vous vinssiez du ciel
Le chèvrefeuille du ciel grimpe
Les poulpes terrestres palpitent
Et puis nous sommes tant et tant à être nos propres fos-
    soyeurs
Pâles poulpes des vagues crayeuses ô poulpes aux becs
    pâles
Autour de la maison il y a cet océan que tu connais
Et qui ne repose jamais

OBUS COULEUR DE LUNE

MERVEILLE DE LA GUERRE

Que c'est beau ces fusées qui illuminent la nuit
Elles montent sur leur propre cime et se penchent pour
    regarder
Ce sont des dames qui dansent avec leurs regards pour yeux
    bras et cœurs

J'ai reconnu ton sourire et ta vivacité

C'est aussi l'apothéose quotidienne de toutes mes Béré-
    nices[1] dont les chevelures sont devenues des comètes
Ces danseuses surdorées appartiennent à tous les temps et à
    toutes les races
Elles accouchent brusquement d'enfants qui n'ont que le
    temps de mourir

Comme c'est beau toutes ces fusées
Mais ce serait bien plus beau s'il y en avait plus encore
S'il y en avait des millions qui auraient un sens complet et
    relatif comme les lettres d'un livre
Pourtant c'est aussi beau que si la vie même sortait des
    mourants

Mais ce serait plus beau encore s'il y en avait plus encore
Cependant je les regarde comme une beauté qui s'offre et
    s'évanouit aussitôt
Il me semble assister à un grand festin éclairé a giorno[2]

1. Bérénice : nom d'une héroïne grecque, qui signifie porteuse de victoire.
2. A giorno : expression italienne signifiant «pendant le jour».

C'est un banquet que s'offre la terre
Elle a faim et ouvre de longues bouches pâles
La terre a faim et voici son festin de Balthasar[1] cannibale

Qui aurait dit qu'on pût être à ce point anthropophage
Et qu'il fallût tant de feu pour rôtir le corps humain
C'est pourquoi l'air a un petit goût empyreumatique[2] qui
    n'est ma foi pas désagréable
Mais le festin serait plus beau encore si le ciel y mangeait
    avec la terre
Il n'avale que les âmes
Ce qui est une façon de ne pas se nourrir
Et se contente de jongler avec des feux versicolores[3]

Mais j'ai coulé dans la douceur de cette guerre avec toute
    ma compagnie au long des longs boyaux
Quelques cris de flamme annoncent sans cesse ma présence
J'ai creusé le lit où je coule en me ramifiant en mille petits
    fleuves qui vont partout
Je suis dans la tranchée de première ligne et cependant je
    suis partout ou plutôt je commence à être partout
C'est moi qui commence cette chose des siècles à venir
Ce sera plus long à réaliser que non la fable d'Icare[4] volant

Je lègue à l'avenir l'histoire de Guillaume Apollinaire
Qui fut à la guerre et sut être partout

1. Festin de Balthasar : référence à un épisode de la Bible. Balthasar, fils de Nabu-chodonosor, voit lors d'un festin une main tracer des noms sur un mur que Daniel interprète comme le signe de la proche fin du règne du roi et du royaume.
2. Empyreumatique : fort et âcre.
3. Versicolore : de couleur changeante ou de couleurs variées.
4. Icare : fils de Dédale enfermé dans le Labyrinthe par Minos. Il s'évada grâce à des ailes confectionnées par son père mais, volant trop près du soleil, la cire qui fixait les plumes aux ailes fondit. Il fut alors précipité dans la mer où il se noya.

Dans les villes heureuses de l'arrière
Dans tout le reste de l'univers
Dans ceux qui meurent en piétinant dans le barbelé
Dans les femmes dans les canons dans les chevaux
Au zénith au nadir[1] aux 4 points cardinaux
Et dans l'unique ardeur de cette veillée d'armes

Et ce serait sans doute bien plus beau
Si je pouvais supposer que toutes ces choses dans lesquelles
   je suis partout
Pouvaient m'occuper aussi
Mais dans ce sens il n'y a rien de fait
Car si je suis partout à cette heure il n'y a cependant que
   moi qui suis en moi

---

1. Zénith : point du ciel situé à la verticale de l'observateur au-dessus de sa tête.
  Nadir : point de la sphère céleste diamétralement opposé au zénith.

EXERCICE

Vers un village de l'arrière
S'en allaient quatre bombardiers
Ils étaient couverts de poussière
Depuis la tête jusqu'aux pieds

Ils regardaient la vaste plaine
En parlant entre eux du passé
Et ne se retournaient qu'à peine
Quand un obus avait toussé

Tous quatre de la classe seize[1]
Parlaient d'antan non d'avenir
Ainsi se prolongeait l'ascèse
Qui les exerçait à mourir

1. Classe seize : ensemble des soldats appelés à la guerre en 1916.

À L'ITALIE

À Ardengo Soffici.

L'amour a remué ma vie comme on remue la terre dans la
    zone des armées
J'atteignais l'âge mûr quand la guerre arriva
Et dans ce jour d'août 1915 le plus chaud de l'année
Bien abrité dans l'hypogée[1] que j'ai creusé moi-même
C'est à toi que je songe Italie mère de mes pensées

Et déjà quand von Kluck marchait sur Paris avant la Marne
J'évoquais le sac de Rome par les Allemands[2]
Le sac de Rome qu'ont décrit
Un Bonaparte le vicaire espagnol Delicado et l'Arétin[3]
Je me disais
Est-il possible que la nation
Qui est la mère de la civilisation
Regarde sans la défendre les efforts qu'on fait pour la
    détruire

Puis les temps sont venus les tombes se sont ouvertes
Les fantômes des Esclaves toujours frémissants
Se sont dressés en criant SUS AUX TUDESQUES[4]
Nous l'armée invisible aux cris éblouissants

---

1. Hypogée : sépulture souterraine en archéologie. Par glissement de sens, le mot
   est employé comme synonyme de tranchée.
2. Le sac de Rome par les Allemands : les Goths, peuple germanique, attaquèrent
   l'Empire romain au IIIe siècle apr. J.-C.
3. Delicado et l'Arétin : écrivains du XVIe siècle (le premier était andalou, le
   second italien).
4. Tudesque : dans un sens vieilli et péjoratif, est synonyme d'Allemand.

Plus doux que n'est le miel et plus simples qu'un peu de
    terre
Nous te tournons bénignement[1] le dos Italie
Mais ne t'en fais pas nous t'aimons bien
Italie mère qui es aussi notre fille

Nous sommes là tranquillement et sans tristesse
Et si malgré les masques les sacs de sable les rondins nous
    tombions
Nous savons qu'un autre prendrait notre place
Et que les Armées ne périront jamais

Les mois ne sont pas longs ni les jours ni les nuits
C'est la guerre qui est longue

Italie
Toi notre mère et notre fille quelque chose comme une sœur
J'ai comme toi pour me réconforter
Le quart de pinard
Qui met tant de différence entre nous et les Boches[2]
J'ai aussi comme toi l'envol des compagnies de perdreaux
    des 75[3]
Comme toi je n'ai pas cet orgueil sans joie des Boches et je
    sais rigoler
Je ne suis pas sentimental à l'excès comme le sont ces gens
    sans mesure que leurs actions dépassent sans qu'ils
    sachent s'amuser
Notre civilisation a plus de finesse que les choses qu'ils
    emploient

1. Bénignement : avec bienveillance et douceur.
2. Boche : péjoratif, synonyme d'Allemand. Le terme fut très largement employé
    lors de la guerre.
3. 75 : nom d'un canon.

Elle est au-delà de la vie confortable
Et de ce qui est l'extérieur dans l'art et l'industrie
Les fleurs sont nos enfants et non les leurs
Même la fleur de lys qui meurt au Vatican

La plaine est infinie et les tranchées sont blanches
Les avions bourdonnent ainsi que des abeilles
Sur les roses momentanées des éclatements
Et les nuits sont parées de guirlandes d'éblouissements
De bulles de globules aux couleurs insoupçonnées

Nous jouissons de tout même de nos souffrances
Notre humeur est charmante l'ardeur vient quand il faut
Nous sommes narquois car nous savons faire la part des
    choses
Et il n'y a pas plus de folie chez celui qui jette les grenades
    que chez celui qui plume les patates
Tu aimes un peu plus que nous les gestes et les mots sonores
Tu as à ta disposition les sortilèges étrusques le sens de la
    majesté héroïque et le courageux honneur individuel
Nous avons le sourire nous devinons ce qu'on ne nous dit
    pas nous sommes démerdards et même ceux qui se
    dégonflent sauraient à l'occasion faire preuve de l'esprit
    de sacrifice qu'on appelle la bravoure
Et nous fumons du gros avec volupté

C'est la nuit je suis dans mon blockhaus[1] éclairé par l'élec-
    tricité en bâton
Je pense à toi pays des 2 volcans[2]

1. Blockhaus : emprunté à la langue allemande, petite construction militaire
défensive soit en bois soit en béton.
2. Les 2 volcans : il s'agit du Vésuve et de l'Etna, qui sont les deux volcans
encore en activité en Italie.

Je salue le souvenir des sirènes et des scylles[1] mortes au
    moment de Messine
Je salue le Colleoni équestre[2] de Venise
Je salue la chemise rouge[3]
Je t'envoie mes amitiés Italie et m'apprête à applaudir aux
    hauts faits de ta bleusaille[4]
Non parce que j'imagine qu'il y aura jamais plus de bon-
    heur ou de malheur en ce monde
Mais parce que comme toi j'aime à penser seul et que les
    Boches m'en empêcheraient
Mais parce que le goût naturel de la perfection que nous
    avons l'un et l'autre si on les laissait faire serait vite rem-
    placé par je ne sais quelles commodités dont je n'ai que
    faire
Et surtout parce que comme toi je sais je veux choisir et
    qu'eux voudraient nous forcer à ne plus choisir
Une même destinée nous lie en cette occase[5]

Ce n'est pas pour l'ensemble que je le dis
Mais pour chacun de toi Italie

Ne te borne point à prendre les terres irrédentes
Mets ton destin dans la balance où est la nôtre

Les réflecteurs dardent leurs lueurs comme des yeux d'es-
    cargots

---

1. Scylles : dérivé de Scylla, écueil proche de Messine, personnifié par un
monstre marin.
2. Colleoni équestre : chef des mercenaires italiens souvent représenté à cheval.
3. Chemise rouge : fait référence à la tenue des partisans de Garibaldi qui œuvra
à la libération de l'Italie contre l'Autriche.
4. Bleusaille : jeune recrue militaire (les soldats arrivaient souvent à la caserne en
blouse bleue).
5. Occase : argotique, synonyme d'occasion.

Et les obus en tombant sont des chiens qui jettent de la terre
    avec leurs pattes après avoir fait leurs besoins

Notre armée invisible est une belle nuit constellée
Et chacun de nos hommes est un astre merveilleux

      Ô nuit ô nuit éblouissante
    Les morts sont avec nos soldats
    Les morts sont debout dans les tranchées
Ou se glissent souterrainement vers les Bien-Aimées
Ô Lille Saint-Quentin Laon Maubeuge Vouziers
Nous jetons nos villes comme des grenades
Nos fleuves sont brandis comme des sabres
Nos montagnes chargent comme cavalerie

Nous reprendrons les villes les fleuves et les collines
De la frontière helvétique aux frontières bataves[1]
      Entre toi et nous Italie
    Il y a des patelins pleins de femmes
    Et près de toi m'attend celle que j'adore
      Ô Frères d'Italie

    Ondes nuages délétères[2]
Métalliques débris qui vous rouillez partout
Ô frères d'Italie vos plumes sur la tête
      Italie
Entends crier Louvain vois Reims tordre ses bras
Et ce soldat blessé toujours debout Arras

1. Batave : vieilli, synonyme de hollandais.
2. Délétère : néfaste, nuisible.

Et maintenant chantons ceux qui sont morts
        Ceux qui vivent
    Les officiers les soldats
Les flingots[1] Rosalie le canon la fusée l'hélice la pelle les
    chevaux
    Chantons les bagues pâles les casques
    Chantons ceux qui sont morts
    Chantons la terre qui bâille d'ennui
    Chantons et rigolons
    Durant des années
        Italie
    Entends braire l'âne boche
    Faisons la guerre à coups de fouets
    Faits avec les rayons du soleil
        Italie
    Chantons et rigolons
    Durant des années

1. Flingot : argot, fusil.

LA TRAVERSÉE

Du joli bateau de Port-Vendres
Tes yeux étaient les matelots
Et comme les flots étaient tendres
Dans les parages de Palos

Que de sous-marins dans mon âme
Naviguent et vont l'attendant
Le superbe navire où clame
Le chœur de ton regard ardent

IL Y A

Il y a un vaisseau qui a emporté ma bien-aimée

Il y a dans le ciel six saucisses et la nuit venant on dirait des asticots dont naîtraient les étoiles

Il y a un sous-marin ennemi qui en voulait à mon amour

Il y a mille petits sapins brisés par les éclats d'obus autour de moi

Il y a un fantassin qui passe aveuglé par les gaz asphyxiants

Il y a que nous avons tout haché dans les boyaux de Nietzsche de Goethe et de Cologne

Il y a que je languis après une lettre qui tarde

Il y a dans mon porte-cartes plusieurs photos de mon amour

Il y a les prisonniers qui passent la mine inquiète

Il y a une batterie dont les servants s'agitent autour des pièces

Il y a le vaguemestre qui arrive au trot par le chemin de l'Arbre isolé

Il y a dit-on un espion qui rôde par ici invisible comme l'horizon dont il s'est indignement revêtu et avec quoi il se confond

Il y a dressé comme un lys le buste de mon amour

Il y a un capitaine qui attend avec anxiété les communications de la T.S.F.[1] sur l'Atlantique

Il y a à minuit des soldats qui scient des planches pour les cercueils

Il y a des femmes qui demandent du maïs à grands cris devant un Christ sanglant à Mexico

---

1. T.S.F. : Télégraphie sans fil.

Il y a le Gulf Stream[1] qui est si tiède et si bienfaisant

Il y a un cimetière plein de croix à 5 kilomètres

Il y a des croix partout de-ci de-là

Il y a des figues de Barbarie sur ces cactus en Algérie

Il y a les longues mains souples de mon amour

Il y a un encrier que j'avais fait dans une fusée de 15 centimètres et qu'on n'a pas laissé partir

Il y a ma selle exposée à la pluie

Il y a les fleuves qui ne remontent pas leurs cours

Il y a l'amour qui m'entraîne avec douceur

Il y avait un prisonnier boche[2] qui portait sa mitrailleuse sur
son dos

Il y a des hommes dans le monde qui n'ont jamais été à la
guerre

Il y a des Hindous qui regardent avec étonnement les cam-
pagnes occidentales

Ils pensent avec mélancolie à ceux dont ils se demandent
s'ils les reverront

Car on a poussé très loin durant cette guerre l'art de l'invisibilité

1. Gulf Stream : courant chaud de l'Atlantique Nord.
2. Boche : péjoratif, synonyme d'Allemand. Le terme fut très largement employé
lors de la guerre.

L'ESPIONNE

Pâle espionne de l'Amour
Ma mémoire à peine fidèle
N'eut pour observer cette belle
Forteresse qu'une heure un jour

Tu te déguises
               À ta guise
Mémoire espionne du cœur
Tu ne retrouves plus l'exquise
Ruse et le cœur seul est vainqueur

Mais la vois-tu cette mémoire
Les yeux bandés prête à mourir
Elle affirme qu'on peut l'en croire
Mon cœur vaincra sans coup férir

LE CHANT D'AMOUR

Voici de quoi est fait le chant symphonique de l'amour
Il y a le chant de l'amour de jadis
Le bruit des baisers éperdus des amants illustres
Les cris d'amour des mortelles violées par les dieux
Les virilités des héros fabuleux érigées comme des pièces
    contre avions
Le hurlement précieux de Jason[1]
Le chant mortel du cygne
Et l'hymne victorieux que les premiers rayons du soleil ont
    fait chanter à Memnon[2] l'immobile
Il y a le cri des Sabines[3] au moment de l'enlèvement
Il y a aussi les cris d'amour des félins dans les jongles
La rumeur sourde des sèves montant dans les plantes tropi-
    cales
Le tonnerre des artilleries qui accomplissent le terrible
    amour des peuples
Les vagues de la mer où naît la vie et la beauté

Il y a là le chant de tout l'amour du monde

---

1. Jason : héros grec qui partit à la conquête de la Toison d'or.
2. Memnon : héros de la guerre de Troie. Il fut tué alors qu'il venait secourir son oncle Priam. On lui éleva une statue qui, chaque fois que les rayons du soleil venaient à la toucher, rendait un son mélodieux.
3. Les Sabines : femmes d'un peuple vivant en Italie. Elles furent enlevées par les Romains qui en firent leurs épouses.

AUSSI BIEN QUE LES CIGALES

gens du midi   ne savez pas   M

gens du mi   creuser que   ais

di vous n'   vous ne sa   vous

avez donc   vez pas vous   savez

pas regar   éclairer ni   encore

dé les ciga   voir Que vous   boire com   le jour

les que vous manque-t-il   me les ci de gloire

     donc pour   gales ô   se

    voir aus   gens du mi   *c*   ra

   si bien   di gens du   *reusez* ce

  que les   soleil gens qui *voyez bu* lui

 ciga   devriez savoir *vez pissez* où

les   creuser et voir   *comme* vous

   aussi bien pour le   *les ciga* sau

  moins aussi bien   *les* rez

 que les cigales   creu

Eh quoi ! vous savez *gens du Midi il faut* ser

boire et ne savez   *creuser voir boire* pour

plus pisser utile   *pisser aussi bien que* bien

ment comme les   *les cigales* sor

cigales   LA JOIE   *pour chan* tir

     ADORABLE   *ter com* au

   DE LA PAIX   *me elles* so

    SOLAIRE   leil

■ Les cigales : mot pris dans un double sens, le premier faisant référence à l'insecte, le second à un éclat d'obus.

SIMULTANÉITÉS

Les canons tonnent dans la nuit
On dirait des vagues tempête
Des cœurs où pointe un grand ennui
Ennui qui toujours se répète

Il regarde venir là-bas
Les prisonniers L'heure est si douce
Dans ce grand bruit ouaté très bas
Très bas qui grandit sans secousse

Il tient son casque dans ses mains
Pour saluer la souvenance[1]
Des lys des roses des jasmins
Éclos dans les jardins de France

Et sous la cagoule masqué
Il pense à des cheveux si sombres
Mais qui donc l'attend sur le quai
Ô vaste mer aux mauves ombres

Belles noix du vivant noyer
La grand folie en vain vous gaule
Brunette écoute gazouiller
La mésange sur ton épaule

---

1. La souvenance : vieilli, mémoire, souvenir.

Notre amour est une lueur
Qu'un projecteur du cœur dirige
Vers l'ardeur égale du cœur
Qui sur le haut Phare s'érige

Ô phare-fleur mes souvenirs
Les cheveux noirs de Madeleine
Les atroces lueurs des tirs
Ajoutent leur clarté soudaine
À tes beaux yeux ô Madeleine

DU COTON DANS LES OREILLES

Tant d'explosifs sur le point **VIF !**

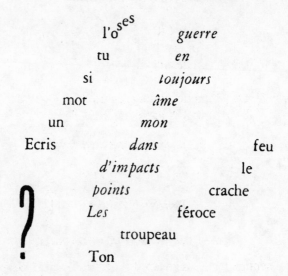

```
          l'oses        guerre
       tu               en
      si                toujours
    mot                 âme
   un                   mon
Ecris                   dans            feu
              d'impacts                 le
              points               crache
              Les              féroce
                    troupeau
              Ton
```

?

OMÉGAPHONE

Ceux qui revenaient de la mort
En attendaient une pareille
Et tout ce qui venait du nord
Allait obscurcir le soleil

Mais que voulez-vous
          c'est son sort
      Allô la truie[1]

C'est quand sonnera le réveil

ALLÔ LA TRUIE

La sentinelle au long regard

La sentinelle au long regard
Et la cagnat[2] s'appelait

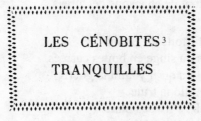

LES CÉNOBITES[3]

TRANQUILLES

La sentinelle au long regard la sentinelle au large regard
Allô la truie

1. La truie : Apollinaire se trouvait au bois de la Truie, fin 1915.
2. Cagnat : abri militaire.
3. Les cénobites : moines.

Tant et tant de coquelicots
D'où tant de sang a-t-il coulé
Qu'est-ce qu'il se met dans le coco
Bon sang de bois il s'est saoulé
Et sans pinard et sans tacot[1]
    Avec de l'eau
    Allô la truie

Le silence des phonographes
Mitrailleuses des cinémas
Tout l'échelon là-bas piaffe

Fleurs de feu des lueurs-frimas
Puisque le canon avait soif
    Allô la truie
Et les trajectoires cabrées
Trébuchements de soleils-nains
Sur tant de chansons déchirées

Il a l'Étoile du Benin[2]
Mais du singe en boîtes carrées
Crois-tu qu'il y aura la guerre
    Allô la truie
   Ah! s'il vous plaît
   Ami l'Anglais
   Ah! qu'il est laid
Ton frère ton frère ton frère de lait

1. Tacot : eau-de-vie.
2. L'Étoile du Bénin : décoration de guerre.

Et je mangeais du pain de Gênes
En respirant leurs gaz lacrymogènes
Mets du coton dans tes oreilles
D'siré

Puis ce fut cette fleur sans nom
À peine un souffle un souvenir
Quand s'en allèrent les canons
Au tour des roues heure à courir
La baleine a d'autres fanons
Éclatements qui nous fanons

Mais mets du coton dans tes oreilles
Évidemment les fanions
Des signaleurs
Allô la truie

Ici la musique militaire joue
Quelque chose
Et chacun se souvient d'une joue
Rose
Parce que même les airs entraînants
Ont quelque chose de déchirant quand on les entend à la
guerre

Écoute s'il pleut écoute s'il pleut

puis	sol	des	con	la
é	dats	Flan	fon	pluie
cou	a	dres	dez-	si
tez	veu	à	vous	ten
tom	gles	l'	a	dre
ber	per	a	vec	la
la	dus	go	l'	pluie
pluie	par	nie	ho	si
si	mi	sous	ri	dou
ten	les	la	zon	ce
dre	che	pluie	beaux	
et	vaux	fi	ê	
si	de	ne	tres	
dou	fri	la	in	
ce	se	pluie	vi	
	sous	si	si	
	la	ten	bles	
	lu	dre	sous	
	ne	et	la	
	li	si	pluie	
	qui	dou	fi	
	de	ce	ne	

Les longs boyaux où tu chemines
    Adieu les cagnats d'artilleurs
Tu retrouveras
La tranchée en première ligne
Les éléphants des pare-éclats
Une girouette maligne

Et les regards des guetteurs las
Qui veillent le silence insigne
   Ne vois-tu rien venir

        au
        Pé
        ris
        co
        pe

La balle qui froisse le silence
Les projectiles d'artillerie qui glissent
   Comme un fleuve aérien
Ne mettez plus de coton dans les oreilles
   Ça n'en vaut plus la peine
Mais appelez donc Napoléon sur la tour
      Allô

Le petit geste du fantassin qui se gratte au cou
   où les totos[1] le démangent
La vague
     Dans les caves
Dans les caves

---

1. Les totos : nom champenois désignant les poux.

Arrêt sur lecture 3

Autour de la notion de lyrisme

Chanter l'intensité des émotions

Charles Baudelaire, auteur d'un des plus grands recueils de poésie française, *Les Fleurs du Mal*, a donné une très belle définition du lyrisme* :

« La *lyre* exprime en effet cet état presque surnaturel, cette intensité de la vie où l'âme *chante,* où elle est *contrainte de chanter*, comme l'arbre, l'oiseau et la mer. »

Cette intensité de la vie, Guillaume la trouve auprès des femmes qu'il a aimées, de Marie Laurencin ou de Lou (Louise de Coligny-Châtillon), mais aussi auprès de ses amis et de ses camarades devant le feu des canons allemands. Aussi son lyrisme mêle-t-il les deux images de l'amour et de la mort parce qu'elles sont les deux expériences extrêmes qui portent l'homme à chanter sa joie et sa douleur et à chanter l'émotion directe, car, ainsi qu'il le dit, il compose généralement en marchant et en chantant.

« Quoi qu'on dise, je ne suis pas un grand liseur, je ne lis guère que les mêmes choses depuis mon enfance et je ne me suis jamais adonné à la lecture d'une façon méthodique, et si je suis lettré, ce que je crois, c'est

plutôt par un goût naturel qui me fait saisir l'intensité de vie et de perfection d'un ouvrage soit d'art, soit de littérature, soit d'autre chose,
c'est plutôt par une sorte d'intuition, dis-je, que par l'étude. **》**

Le malheur et l'amour

L'amour chanté par Apollinaire a bien des grâces mais, hélas, il est aussi
le plus souvent malheureux. Guillaume en a fait l'expérience avec les
différentes femmes qu'il a aimées et qui l'ont quitté ou n'ont pas
répondu à son amour :

《 Je crois n'avoir point imité, car chacun de mes poèmes est la commémoration d'un événement de ma vie et le plus souvent il s'agit de
tristesse, mais j'ai des joies aussi que je chante. **》**

Alcools était tout entier sous le signe de la « Chanson du Mal-Aimé »,
et les *Calligrammes* reprennent à nouveau ce chant triste et doux. *Fête*
est elle-même une évocation de la mort des amants. Dans ce poème, le
lyrisme* est évoqué immédiatement par la référence à peine masquée à
Marceline Desbordes-Valmore dans « Les Roses de Saadi ». Cette poé-
tesse trop peu connue du jeune public fut célébrée par les plus grands
poètes du XIXe siècle. La poésie de Marceline est tout amour et pleurs.
Apollinaire s'inspire de son lyrisme sentimental et familier pour chanter
la mort des amis qui reposent en terre, l'absence des amies qu'une rose
rappelle, la tristesse de l'ami séparé de son amour et celle de la femme
qui sera « mortifiée » par la mort de celui qu'elle attend.

La poésie de Guillaume fait alterner, et souvent dans un même
poème, de vers à vers, la joie que suscite l'amour et une mélancolie plus
sourde qui annonce que les amours finissent mal. Dans *Le chant
d'amour*, l'univers entier est d'essence amoureuse :

Voici de quoi est fait le chant symphonique de l'amour

Mais le monde passe, ne répond pas toujours aux attentes du poète,
et l'objet amoureux se détourne. Ne reste que le sentiment de la solitude et du temps perdu qu'Apollinaire avait si bien chanté dans son
Bestiaire (« La souris ») :

« Belles journées, souris du temps,
Vous rongez peu à peu ma vie.
Dieu ! Je vais avoir vingt-huit ans,
Et mal vécus, à mon envie. »

Sentiment qui resurgit entre les moments d'angoisse et d'horreur, d'étonnement aussi, devant cette féerie pour un massacre qu'est la Première Guerre mondiale.

La beauté d'un autre monde : le front étoilé

Apollinaire n'a pas été le seul à voir dans la guerre cette féerie éclairée par les lueurs des tirs, les incendies. On retrouve cette évocation dans l'œuvre de Louis Ferdinand Céline. Mais Guillaume tire de cette terrible et nouvelle expérience un renouveau et un prolongement de sa vision du monde, qui, selon le nom même qu'il a choisi, est sous le signe solaire d'Apollon. Le lyrisme* du poète se fonde sur le rapprochement entre une métaphore* intime et une image concrète (l'étoile/le soleil et la lueur des fusées/canons) :

> Tandis qu'au zénith flamboyait
> L'éternel avion solaire [...]
>
> Des bras d'or supportent la vie
> Pénétrez le secret doré
> Tout n'est qu'une flamme rapide
> Que fleurit la rose adorable
> Et d'où monte un parfum exquis (*Les collines*)
>
> Le ciel est étoilé par les obus des Boches
> La forêt merveilleuse où je vis donne un bal
> La mitrailleuse joue un air à triples-croches (*La nuit d'avril 1915*)

La plus belle image qui court dans tout le recueil se trouve confirmée par la vie même du poète qui joue de la superposition du monde imaginaire et du monde réel. Cet entrelacs prouve que la surréalité selon les désirs d'Apollinaire existe bien. Ainsi, dans *Tristesse d'une étoile* (et les étoiles lumineuses ou éteintes sont, dans *Calligrammes* comme dans *Les Mamelles de Tirésias,* les soldats qui luttent et tombent à la guerre), le poète superpose deux images sur un même mot : Minerve est à la fois la déesse romaine de la victoire mais aussi l'appareil médical qui permet de maintenir immobile le cou des personnes blessées. Apollinaire développe ces deux acceptions dans le poème, tissant celle de la déesse armée et victorieuse qui avance avec le poète, et l'appareil qui servit à Apollinaire après son opération. L'étoile est à la fois le feu sacré du poète soldat mais aussi l'éclat d'obus qui lui est entré dans la tête et à cause duquel on l'a trépané. Le front étoilé est ainsi triple : c'est le front (lieu des combats) qui contient ces feux de l'espoir que sont les soldats, et tout particulièrement le poète, c'est le front illuminé par les combats, c'est enfin la partie du corps qui a été blessée par un objet incandescent.

Le lyrisme de l'obus

La guerre comme métaphore – Une des originalités de Guillaume est la manière dont il tisse deux images qui, traditionnellement, ne se rencontrent que très rarement. Sans doute peut-on souvent lire les aventures amoureuses sous la métaphore* de la conquête. Mais ici le corps aimé est lui-même une arme, et la relation entre les deux est plus intime, directement liée à une expérience personnelle et non à la reprise d'un topos* littéraire.

Les corps de la femme et de l'homme subissent dans ce recueil une transformation majeure et, s'incorporant les qualités d'armes explosives, disent la violence de la passion amoureuse. Les seins de la femme sont métaphorisés sous les traits de l'obus :

> Tes seins sont les seuls obus que j'aime (*Fusée*)

> Je revois ma sœur au rire en folie
> Aux seins durs comme des obus (*Les soupirs du servant de Dakar*)

L'homme quant à lui est métaphorisé sexuellement par la figure du canon dont on reconnaîtra facilement la caractéristique phallique :

> Virilités du siècle où nous sommes
> Ô canons (*Fusée*)

Une nouvelle union se dessine, une fusion entre les outils de guerre qui prolonge, amplifie le rêve des amants. Apollinaire évoque la guerre comme une machine qui donne toute sa force à l'amour dans la mesure où elle l'empêche et provoque ainsi un surcroît de désir en demandant aux amants d'imaginer leur passion. L'homme a d'autant plus besoin de cet amour qu'il fait quotidiennement face à l'horreur des combats, des corps déchirés par les éclats d'obus, des soldats gazés, défigurés :

> Ô Guerre
> Multiplication de l'amour (*Oracles*)

L'amour cruel – Cependant, cette image lyrique et mélancolique de l'amour est sous-tendue par le facétieux Guillaume qui aime souvent à donner plusieurs sens à ce qu'il écrit. Derrière cela se cache une autre réalité : si « de l'Amour on sait la cruauté » (*Chant de l'honneur*), c'est parce que l'amour se refuse souvent au poète et que la guerre le rend à la fois nécessaire, plus violent mais encore impossible. C'est aussi parce que Apollinaire envisage l'amour sous les traits de la passion : « passion » vient du latin *patior*, souffrir. Dans la passion coexistent ainsi souffrance et plaisir, et Guillaume s'est beaucoup intéressé dans ces écrits, comme dans ceux d'autres auteurs qu'il a publiés lui-même dans une des deux collections qu'il dirigeait (ou encore dans les poèmes licencieux qu'il a traduits), à une sexualité violente que l'on retrouve dans l'œuvre de Sade et dans la sienne : *Les Onze Mille Verges*. Le lyrisme* n'est plus uniquement lié à des sentiments qui pourraient être fades ou consentis par la bonne morale bourgeoise mais il entre dans tous les domaines de la vie.

Pour une lecture : *Désir*

Introduction

Désir relate la guerre dans un double registre particulier à Apollinaire qui mêle des réflexions et des descriptions très précises sur les affres de la guerre à une évocation du combat sous les traits d'un objet désirable. Mais quel est donc ce désir ? Dans *Fusée*, le poète précisait que les seins de la femme étaient les seuls obus qu'il aimait. Le lyrisme fait entendre une nouvelle voix qui exprime une autre réalité affective.

1 – Une évocation réaliste

Apollinaire rapporte dans ce poème la réalité du combat telle qu'il la vit entre les plaines champenoises et les plateaux de l'Aisne. Il y dit le but unique qui est de reprendre une place stratégique (la butte du Mesnil), de gagner du terrain contre l'ennemi (la Main de Massiges qui fut pendant longtemps un dispositif tenu par les Allemands). L'évocation est précise dans son horreur puisqu'elle est datée : nuit du 24 septembre, moment d'angoisse qui précède le combat où les hommes iront à la mort. Le poème s'organise autour d'éléments concrets concernant la guerre : lieux géographiques, vocabulaire technique militaire (« Le Decauville », chemin de fer mobile inventé pour la guerre, la « bourguignotte », casque…).

2 – Le grand combat et le lyrisme* guerrier

Mais au-delà de cette évocation précise s'élabore tout un cri d'angoisse chanté avec la même beauté qu'un chant d'amour. On retrouve les traces du lyrisme dans la répétition de « Mon désir », en ouverture, et de « Nuit », en clôture du poème. Le poète est écartelé entre le désir guerrier de la victoire (l'autre désir, en direction des amis et des femmes : « Je n'en parle pas aujourd'hui mais j'y pense ») et la peur devant la nuit terrible qui annonce le jour à venir et l'assaut meurtrier. L'horreur de cette nuit est indiquée d'une manière très spectaculaire, dédoublée dans des figures de douleur : la nuit des femmes où celles-ci souffrent pour donner la vie ; la nuit des hommes qui hurlent déjà du combat qui ne donnera que la mort. Ce 24 septembre, c'est la mort qui rôde, « Nuit des hommes seulement ». Le lyrisme transforme son chant en cri et en bruit : onomatopées*, bruit du train, de la pluie sur la tôle ondulée et sur le casque, sifflement des obus, et enfin le monumental « cri de la nuit ».

Conclusion

Apollinaire chante douloureusement sa vie de poilu, tiraillé par le désir de reprendre du terrain sur l'ennemi, de délivrer la France, et la peur du combat. La nuit, topos* romantique par excellence pour l'effusion lyrique, amoureuse, se transforme en un élément monstrueux.

à vous...

1 – Explication – Après avoir choisi plusieurs axes de lecture, expliquez le poème *Il y a*.

2 – Atelier d'écriture
– Apollinaire s'est inventé un nom qui joue sur différentes références. Inventez-vous un nom qui corresponde à l'image que vous voudriez donner aux autres. Précisez, en quelques lignes, le pourquoi de votre choix.

– Travail collectif : composez-vous un répertoire de calligrammes pour toutes les fêtes (anniversaire, mariage, etc.) et réalisez-les sous forme de cartes postales.

LA TÊTE ÉTOILÉE

LE DÉPART

Et leurs visages étaient pâles
Et leurs sanglots s'étaient brisés

Comme la neige aux purs pétales
Ou bien tes mains sur mes baisers
Tombaient les feuilles automnales

LE VIGNERON CHAMPENOIS

Le régiment arrive
Le village est presque endormi dans la lumière parfumée
Un prêtre a le casque en tête
La bouteille champenoise est-elle ou non une artillerie
Les ceps de vigne comme l'hermine sur un écu
Bonjour soldats
Je les ai vus passer et repasser en courant
Bonjour soldats bouteilles champenoises où le sang fer-
mente
Vous resterez quelques jours et puis remonterez en ligne
Échelonnés ainsi que sont les ceps de vigne
J'envoie mes bouteilles partout comme les obus d'une char-
mante artillerie

La nuit est blonde ô vin blond
Un vigneron chantait courbé dans sa vigne
Un vigneron sans bouche au fond de l'horizon
Un vigneron qui était lui-même la bouteille vivante
Un vigneron qui sait ce qu'est la guerre
Un vigneron champenois qui est un artilleur

C'est maintenant le soir et l'on joue à la mouche
Puis les soldats s'en iront là-haut
Où l'Artillerie débouche ses bouteilles crémantes
Allons Adieu messieurs tâchez de revenir
Mais nul ne sait ce qui peut advenir

CARTE POSTALE

Je t'écris de dessous la tente
Tandis que meurt ce jour d'été
Où floraison éblouissante
Dans le ciel à peine bleuté
Une canonnade éclatante
Se fane avant d'avoir été

ÉVENTAIL DES SAVEURS

Attols singuliers
de brownings quel
goût
de viv
re Ah!

Des lacs versicolores
Dans les glaciers solaires

1 tout
pe tit
oise a u
qui n'a pas
de queue et
qui s'envole
quand on
lui en met
u ne

Mes tapis de la saveur moussons des sons obscurs

et ta bouche au souffle

azur

ouïs ouïs le cri les pas le pho
NOGRAPHE ouïs ouïs L'ALOÈS
éclater et le petit mirliton

■ Attols : récif de corail qui enferme un lagon; orthographe habituelle : atoll.
■ Browning : pistolet automatique. ■ Versicolore : de couleur changeante ou de couleurs variées. ■ Mirliton : sorte de flûte en roseau qui donne un son nasillard; personne qui joue de cet instrument. Vers de mirliton : mauvais vers.

SOUVENIRS

Deux lacs nègres
        Entre une forêt
            Et une chemise qui sèche

Bouche ouverte sur un harmonium
C'était une voix faite d'yeux
Tandis qu'il traîne de petites gens

Une toute petite vieille au nez pointu
J'admire la bouillotte d'émail bleu
Mais le rat pénètre dans le cadavre et y demeure

Un monsieur en bras de chemise
Se rase près de la fenêtre
En chantant un petit air qu'il ne sait pas très bien
Ça fait tout un opéra

Toi qui te tournes vers le roi
Est-ce que Dieu voudrait mourir encore

L'AVENIR

Soulevons la paille
Regardons la neige
Écrivons des lettres
Attendons des ordres

Fumons la pipe
En songeant à l'amour
Les gabions[1] sont là
Regardons la rose

La fontaine n'a pas tari
Pas plus que l'or de la paille ne s'est terni
Regardons l'abeille
Et ne songeons pas à l'avenir

Regardons nos mains
Qui sont la neige
La rose et l'abeille
Ainsi que l'avenir

1. Gabions : cylindres de branchages tressés et remplis de terre, qui servent de protection.

UN OISEAU CHANTE

Un oiseau chante ne sais où
C'est je crois ton âme qui veille
Parmi tous les soldats d'un sou
Et l'oiseau charme mon oreille

Écoute il chante tendrement
Je ne sais pas sur quelle branche
Et partout il va me charmant
Nuit et jour semaine et dimanche

Mais que dire de cet oiseau
Que dire des métamorphoses
De l'âme en chant dans l'arbrisseau
Du cœur en ciel du ciel en roses

L'oiseau des soldats c'est l'amour
Et mon amour c'est une fille
La rose est moins parfaite et pour
Moi seul l'oiseau bleu s'égosille

Oiseau bleu comme le cœur bleu
De mon amour au cœur céleste
Ton chant si doux répète-le
À la mitrailleuse funeste

Qui claque à l'horizon et puis
Sont-ce les astres que l'on sème
Ainsi vont les jours et les nuits
Amour bleu comme est le cœur même

CHEVAUX DE FRISE

Pendant le blanc et nocturne novembre
Alors que les arbres déchiquetés par l'artillerie
Vieillissaient encore sous la neige
Et semblaient à peine des chevaux de frise
Entourés de vagues de fils de fer
Mon cœur renaissait comme un arbre au printemps
Un arbre fruitier sur lequel s'épanouissent
                    Les fleurs de l'amour

Pendant le blanc et nocturne novembre
Tandis que chantaient épouvantablement les obus
Et que les fleurs mortes de la terre exhalaient
                    Leurs mortelles odeurs
Moi je décrivais tous les jours mon amour à Madeleine
La neige met de pâles fleurs sur les arbres
        Et toisonne d'hermine les chevaux de frise
            Que l'on voit partout
                    Abandonnés et sinistres
                    Chevaux muets
        Non chevaux barbes mais barbelés
            Et je les anime tout soudain
        En troupeau de jolis chevaux pies[1]
Qui vont vers toi comme de blanches vagues
                Sur la Méditerranée
            Et t'apportent mon amour
Roselys ô panthère ô colombes étoile bleue

1. Chevaux pies : chevaux à la robe de plusieurs couleurs.

               Ô Madeleine
Je t'aime avec délices
Si je songe à tes yeux je songe aux sources fraîches
Si je pense à ta bouche les roses m'apparaissent
Si je songe à tes seins le Paraclet descend
               Ô double colombe de ta poitrine
Et vient délier ma langue de poète
               Pour te redire
               Je t'aime
Ton visage est un bouquet de fleurs
     Aujourd'hui je te vois non Panthère
               Mais Toutefleur
Et je te respire ô ma Toutefleur
Tous les lys montent en toi comme des cantiques d'amour
     et d'allégresse
Et ces chants qui s'envolent vers toi
               M'emportent à ton côté
               Dans ton bel Orient où les lys
Se changent en palmiers qui de leurs belles mains
Me font signe de venir
La fusée s'épanouit fleur nocturne
               Quand il fait noir
Et elle retombe comme une pluie de larmes amoureuses
De larmes heureuses que la joie fait couler
     Et je t'aime comme tu m'aimes
               Madeleine

CHANT DE L'HONNEUR

LE POÈTE

Je me souviens ce soir de ce drame indien
Le Chariot d'Enfant un voleur y survient
Qui pense avant de faire un trou dans la muraille
Quelle forme il convient de donner à l'entaille
Afin que la beauté ne perde pas ses droits
Même au moment d'un crime
                              Et nous aurions je crois
À l'instant de périr nous poètes nous hommes
Un souci de même ordre à la guerre où nous sommes

Mais ici comme ailleurs je le sais la beauté
N'est la plupart du temps que la simplicité
Et combien j'en ai vu qui morts dans la tranchée
Étaient restés debout et la tête penchée
S'appuyant simplement contre le parapet

J'en vis quatre une fois qu'un même obus frappait
Ils restèrent longtemps ainsi morts et très crânes
Avec l'aspect penché de quatre tours pisanes[1]

Depuis dix jours au fond d'un couloir trop étroit
Dans les éboulements et la boue et le froid
Parmi la chair qui souffre et dans la pourriture
Anxieux nous gardons la route de Tahure

1. Pisanes : relatif à la ville de Pise en Italie.

J'ai plus que les trois cœurs des poulpes pour souffrir
Vos cœurs sont tous en moi je sens chaque blessure
Ô mes soldats souffrants ô blessés à mourir
Cette nuit est si belle où la balle roucoule
Tout un fleuve d'obus sur nos têtes s'écoule
Parfois une fusée illumine la nuit
C'est une fleur qui s'ouvre et puis s'évanouit
La terre se lamente et comme une marée
Monte le flot chantant dans mon abri de craie
Séjour de l'insomnie incertaine maison
De l'Alerte la Mort et la Démangeaison

LA TRANCHÉE

Ô jeunes gens je m'offre à vous comme une épouse
Mon amour est puissant j'aime jusqu'à la mort
Tapie au fond du sol je vous guette jalouse
Et mon corps n'est en tout qu'un long baiser qui mord

LES BALLES

De nos ruches d'acier sortons à tire-d'aile
Abeilles[1] le butin qui sanglant emmielle
Les doux rayons d'un jour qui toujours renouvelle
Provient de ce jardin exquis l'humanité
Aux fleurs d'intelligence à parfum de beauté

LE POÈTE

Le Christ n'est donc venu qu'en vain parmi les hommes
Si des fleuves de sang limitent les royaumes

1. Abeilles : petits éclats d'obus ou de mitraille.

Et même de l'Amour on sait la cruauté
C'est pourquoi faut au moins penser à la Beauté
Seule chose ici-bas qui jamais n'est mauvaise
Elle porte cent noms dans la langue française
Grâce Vertu Courage Honneur et ce n'est là
Que la même Beauté

LA FRANCE

Poète honore-la
Souci de la Beauté non souci de la Gloire
Mais la Perfection n'est-ce pas la Victoire

LE POÈTE

Ô poètes des temps à venir ô chanteurs
Je chante la beauté de toutes nos douleurs
J'en ai saisi des traits mais vous saurez bien mieux
Donner un sens sublime aux gestes glorieux
Et fixer la grandeur de ces trépas pieux

L'un qui détend son corps en jetant des grenades
L'autre ardent à tirer nourrit les fusillades
L'autre les bras ballants porte des seaux de vin
Et le prêtre-soldat dit le secret divin

J'interprète pour tous la douceur des trois notes
Que lance un loriot[1] canon quand tu sanglotes

Qui donc saura jamais que de fois j'ai pleuré
Ma génération sur ton trépas sacré

1. Loriot : oiseau au plumage jaune vif.

Prends mes vers ô ma France Avenir Multitude
Chantez ce que je chante un chant pur le prélude
Des chants sacrés que la beauté de notre temps
Saura vous inspirer plus purs plus éclatants
Que ceux que je m'efforce à moduler ce soir
En l'honneur de l'Honneur la beauté du Devoir

17 décembre 1915.

CHEF DE SECTION

Ma bouche aura des ardeurs de géhenne [1]
Ma bouche te sera un enfer de douceur et de séduction
Les anges de ma bouche trôneront dans ton cœur
Les soldats de ma bouche te prendront d'assaut
Les prêtres de ma bouche encenseront ta beauté
Ton âme s'agitera comme une région pendant un tremble-
ment de terre
Tes yeux seront alors chargés de tout l'amour qui s'est
amassé dans les regards de l'humanité depuis qu'elle
existe
Ma bouche sera une armée contre toi une armée pleine de
disparates
Variée comme un enchanteur qui sait varier ses métamor-
phoses
L'orchestre et les chœurs de ma bouche te diront mon amour
Elle te le murmure de loin
Tandis que les yeux fixés sur la montre j'attends la minute
prescrite pour l'assaut

1. Géhenne : nom hébreux du séjour des réprouvés dans la Bible.

TRISTESSE D'UNE ÉTOILE

Une belle Minerve[1] est l'enfant de ma tête
Une étoile de sang me couronne à jamais
La raison est au fond et le ciel est au faîte
Du chef où dès longtemps Déesse tu t'armais

C'est pourquoi de mes maux ce n'était pas le pire
Ce trou presque mortel et qui s'est étoilé
Mais le secret malheur qui nourrit mon délire
Est bien plus grand qu'aucune âme ait jamais celé

Et je porte avec moi cette ardente souffrance
Comme le ver luisant tient son corps enflammé
Comme au cœur du soldat il palpite la France
Et comme au cœur du lys le pollen parfumé

1. Minerve : appareil orthopédique qui maintient la tête dans les cas de trauma-
tismes.

LA VICTOIRE

Un coq chante je rêve et les feuillards agitent
Leurs feuilles qui ressemblent à de pauvres marins

Ailés et tournoyants comme Icare[1] le faux
Des aveugles gesticulant comme des fourmis
Se miraient sous la pluie aux reflets du trottoir

Leurs rires amassés en grappes de raisin

Ne sors plus de chez moi diamant qui parlais
Dors doucement tu es chez toi tout t'appartient
Mon lit ma lampe et mon casque troué

Regards précieux saphirs taillés aux environs de Saint-
  Claude
        Les jours étaient une pure émeraude

Je me souviens de toi ville des météores
Ils fleurissaient en l'air pendant ces nuits où rien ne dort
Jardins de la lumière où j'ai cueilli des bouquets

Tu dois en avoir assez de faire peur à ce ciel
                Qu'il garde son hoquet

On imagine difficilement
À quel point le succès rend les gens stupides et tranquilles

---

1. Icare : fils de Dédale enfermé dans le Labyrinthe par Minos.

À l'institut des jeunes aveugles on a demandé
N'avez-vous point de jeune aveugle ailé

Ô bouches l'homme est à la recherche d'un nouveau langage
Auquel le grammairien d'aucune langue n'aura rien à dire

Et ces vieilles langues sont tellement près de mourir
Que c'est vraiment par habitude et manque d'audace
Qu'on les fait encore servir à la poésie

Mais elles sont comme des malades sans volonté
Ma foi les gens s'habitueraient vite au mutisme
La mimique suffit bien au cinéma

     Mais entêtons-nous à parler
     Remuons la langue
     Lançons des postillons
On veut de nouveaux sons de nouveaux sons de nouveaux
sons
On veut des consonnes sans voyelles
Des consonnes qui pètent sourdement
     Imitez le son de la toupie
Laissez pétiller un son nasal et continu
Faites claquer votre langue
Servez-vous du bruit sourd de celui qui mange sans civilité
Le raclement aspiré du crachement ferait aussi une belle
consonne

Les divers pets labiaux rendraient aussi vos discours clai-
ronnants
Habituez-vous à roter à volonté
Et quelle lettre grave comme un son de cloche

À travers nos mémoires
Nous n'aimons pas assez la joie
De voir les belles choses neuves
Ô mon amie hâte-toi
Crains qu'un jour un train ne t'émeuve
      Plus
Regarde-le plus vite pour toi
Ces chemins de fer qui circulent
Sortiront bientôt de la vie
Ils seront beaux et ridicules
Deux lampes brûlent devant moi
Comme deux femmes qui rient
Je courbe tristement la tête
Devant l'ardente moquerie
Ce rire se répand
Partout
Parlez avec les mains faites claquer vos doigts
Tapez-vous sur la joue comme sur un tambour
      Ô paroles
    Elles suivent dans la myrtaie[1]
    L'Éros et l'Antéros[2] en larmes
Je suis le ciel de la cité

      Écoutez la mer

La mer gémir au loin et crier toute seule
    Ma voix fidèle comme l'ombre
    Veut être enfin l'ombre de la vie
Veut être ô mer vivante infidèle comme toi

1. Myrtaie : inventé, plantation de myrtes, arbustes à feuilles persistantes qui, comme le laurier, symbolisent la gloire.
2. Éros : divinité de l'amour, fils d'Aphrodite. – Antéros : frère d'Éros, personnifiant, suivant les mythes, l'amour réciproque ou la haine.

La mer qui a trahi des matelots sans nombre
Engloutit mes grands cris comme des dieux noyés
Et la mer au soleil ne supporte que l'ombre
Que jettent des oiseaux les ailes éployées

La parole est soudaine et c'est un Dieu qui tremble
Avance et soutiens-moi je regrette les mains
De ceux qui les tendaient et m'adoraient ensemble
Quelle oasis de bras m'accueillera demain
Connais-tu cette joie de voir des choses neuves

Ô voix je parle le langage de la mer
Et dans le port la nuit des dernières tavernes
Moi qui suis plus têtu que non l'hydre de Lerne[1]

La rue où nagent mes deux mains
Aux doigts subtils fouillant la ville
S'en va mais qui sait si demain
La rue devenant immobile
Qui sait où serait mon chemin
Songe que les chemins de fer
Seront démodés et abandonnés dans peu de temps
Regarde

La Victoire avant tout sera
De bien voir au loin
De tout voir
De près
Et que tout ait un nom nouveau

---

1. Hydre de Lerne : monstre fabuleux de la Grèce antique ayant plusieurs têtes.
   Elle fut tuée par Héraclès.

LA JOLIE ROUSSE[1]

Me voici devant tous un homme plein de sens
Connaissant la vie et de la mort ce qu'un vivant peut
  connaître
Ayant éprouvé les douleurs et les joies de l'amour
Ayant su quelquefois imposer ses idées
Connaissant plusieurs langages
Ayant pas mal voyagé
Ayant vu la guerre dans l'Artillerie et l'Infanterie
Blessé à la tête trépané sous le chloroforme
Ayant perdu ses meilleurs amis dans l'effroyable lutte
Je sais d'ancien et de nouveau autant qu'un homme seul
  pourrait des deux savoir
Et sans m'inquiéter aujourd'hui de cette guerre
Entre nous et pour nous mes amis
Je juge cette longue querelle de la tradition et de l'invention
        De l'Ordre et de l'Aventure

Vous dont la bouche est faite à l'image de celle de Dieu
Bouche qui est l'ordre même
Soyez indulgents quand vous nous comparez
À ceux qui furent la perfection de l'ordre
Nous qui quêtons partout l'aventure

Nous ne sommes pas vos ennemis
Nous voulons vous donner de vastes et d'étranges domaines
Où le mystère en fleurs s'offre à qui veut le cueillir

1. La jolie rousse : il s'agit de Jacqueline que le poète a épousée.

Il y a là des feux nouveaux des couleurs jamais vues
Mille phantasmes impondérables
Auxquels il faut donner de la réalité

Nous voulons explorer la bonté contrée énorme où tout se
   tait
Il y a aussi le temps qu'on peut chasser ou faire revenir
Pitié pour nous qui combattons toujours aux frontières
De l'illimité et de l'avenir
Pitié pour nos erreurs pitié pour nos péchés

Voici que vient l'été la saison violente
Et ma jeunesse est morte ainsi que le printemps
Ô Soleil c'est le temps de la Raison ardente
               Et j'attends
Pour la suivre toujours la forme noble et douce
Qu'elle prend afin que je l'aime seulement
Elle vient et m'attire ainsi qu'un fer l'aimant
        Elle a l'aspect charmant
          D'une adorable rousse

Ses cheveux sont d'or on dirait
Un bel éclair qui durerait
Ou ces flammes qui se pavanent
Dans les roses-thé qui se fanent

Mais riez riez de moi
Hommes de partout surtout gens d'ici
Car il y a tant de choses que je n'ose vous dire
Tant de choses que vous ne me laisseriez pas dire
Ayez pitié de moi

Arrêt
sur
lecture 4

Ivresses du renouveau

Le goût des métaphores

Une figure presque parfaite – La métaphore* est un outil littéraire qu'Apollinaire adore et qu'il renouvelle amplement. Charles Baudelaire disait de la métaphore qu'elle est la figure la plus scientifique et la plus intelligente car elle permet de synthétiser le monde en découvrant des analogies universelles qui sans elle resteraient enfouies. Apollinaire est moins romantique, mais cette conception de l'analogie se retrouve chez lui à travers la notion de simultanéité, et l'essence baudelairienne du monde qui n'existe pas chez lui se transforme en une surréalité, une réalité supérieure, plus intime, plus profonde, plus intense, plus neuve. « J'aime l'art d'aujourd'hui parce que j'aime avant tout la lumière et tous les hommes aiment avant tout la lumière, ils ont inventé le feu », dit-il, employant sa métaphore préférée qui a trait au feu lumineux auquel répond la lueur des étoiles.

La guerre, objet de métaphore – Apollinaire transfigure la guerre par la métaphore : il lui donne un visage humain, une beauté que peu de poètes avaient chantée avant lui. Non pas qu'elle soit bonne en elle-même, mais elle peut faire naître de belles choses, enterrer un monde pour en enfanter un nouveau. La guerre est digne de poésie et de métaphores* car, dans son inhumanité, elle recèle encore des trésors d'humanité, comme le courage et la fraternité des soldats qu'Apollinaire a aimés et qu'il chante dans *De la batterie de tir* où ces derniers sont métaphorisés sous l'image de joyaux, pierres précieuses qui ornent le cou de la nation :

> Nous sommes ton collier France [...]
> Nous nous pâmons de volupté
> À ton cou penché vers l'Est
> Nous sommes l'Arc-en-terre [...]
> Ô nous les très belles couleurs

Éclats en tous sens

Faut-il tout comprendre ? – Apollinaire l'a toujours dit : le sens est secondaire par rapport à la séduction du chant et à la richesse de l'imaginaire. Aussi ne vous étonnez pas si vous ne comprenez pas certains poèmes ou quelques vers. Apollinaire vous l'aurait dit : ça n'a pas d'importance... Le poète cherche à créer un sentiment diffus, à traduire une expérience ou à retrouver un souvenir, et ces éléments de la vie ne sont pas nécessairement traduisibles par les mots eux-mêmes ni par la syntaxe :

« Je suis un partisan acharné d'exclure l'intervention de l'intelligence, c'est-à-dire de la philosophie et de la logique, dans les manifestations de l'art. L'art doit avoir pour fondement la sincérité de l'émotion et la spontanéité de l'expression. **»**

Le sens est multiple – Marinetti avait décidé de traduire la vie moderne et industrialisée par des bruits, Apollinaire garde les mots, construit des images et offre à son lecteur de découvrir le sens souterrain de ses poèmes. Comme sous l'effet d'une bombe qui a fait éclater la solidité et l'unité d'un objet, la poésie des *Calligrammes* fait exploser les structures rigides de la syntaxe qui organise le sens dans la phrase. Apollinaire propose souvent une promenade dans un paysage ; nous pouvons nous y perdre puisque, selon la pratique cubiste, il n'y a plus de perspective, c'est-à-dire plus de directions ; mais nous pouvons aussi y trouver un nouveau chemin, celui d'une surréalité qui nous appartient à nous et à Apollinaire.

« Me voici devant tous un homme plein de sens », dit-il dans le dernier poème du recueil (*La jolie rousse*), précisant que sa poésie est non seulement sensuelle mais qu'elle apporte aussi de multiples sens à l'existence. L'expérience de la guerre est primordiale pour cette ouverture puisque, comme on peut le lire dans *Les collines* :

> Un univers est éventré
> Dont il sort des mondes nouveaux

Le monde se donne en simultané – Il n'y a plus un seul monde mais des mondes multiples : non seulement le front et l'arrière, univers parallèles et continus, mais aussi des mondes multipliés par la simultanéité que la technologie permet de vivre, comme lors d'une conversation entre Paris et New York par le biais du télégraphe ou du téléphone, comme la réunion du passé et du présent avec le disque… Ainsi du poème *Le musicien de Saint-Merry* où l'on peut suivre un musicien à Paris :

> Puis ailleurs
> À quelle heure un train partira-t-il pour Paris
>
> À ce moment
> Les pigeons des Moluques fientaient des noix muscades
> En même temps
> Mission catholique de Bôma qu'as-tu fait du sculpteur
>
> Ailleurs
> Elle traverse un pont qui relie Bonn à Beuel

Il ne peut plus y avoir un seul sens puisqu'il n'y a pas un seul monde (*Le musicien de Saint-Merry*) :

> Je ne chante pas ce monde ni les autres astres
> Je chante toutes les possibilités de moi-même hors de ce monde et
> des astres

L'œuvre ouverte

Apollinaire organise ses calligrammes comme des œuvres ouvertes où le lecteur doit chercher sa propre voie. Il faut dégager le « sens » de la lecture pour trouver une signification au *Voyage*, il faut s'interroger sur la valeur des signes dans la *Lettre-Océan*, si belle et si complexe, sur laquelle nous allons nous arrêter quelques instants.

***Tentative de lecture de* Lettre-Océan...** – La première page propose des lignes dessinées qui représentent sans doute l'océan qui sépare le poète et son frère, parti au Mexique. Les langues française et espagnole créent une simultanéité linguistique, ainsi que les références aux Mayas et le calligramme esquissant une flèche. Mais nous sommes devant une énigme : qu'est-ce donc que ce soleil central qui irradie à partir de « Sur la rive gauche devant le pont d'Iéna » et « Haute de 300 mètres » ? Il s'agit de la tour Eiffel qui est le centre d'émission des ondes (d'où la TSF, abréviation pour télégraphie sans fil, en caractères gras). La tour est le centre d'une vie sonore. Le deuxième « soleil » s'organise à partir de la tour, et les rayons sont les ondes qu'elle distribue et qui sont relayés par les « hou hou » des sirènes, les bruits de l'autobus, les grincements du gramophone, les crissements des chaussures neuves du poète, objets qui sont tous nommés en majuscules et superposés les uns aux autres.

***... et de* Paysage** – Dans *Paysage*, on peut effectuer un tout autre voyage, plus allégorique : les quatre éléments du calligramme dessinent la vie de l'homme : 1) la maison où naissent les divinités évoque la naissance du poète ; 2) l'arbrisseau qui va fructifier est la maturation de l'individu ; 3) les amants couchés évoquent l'âge adulte et l'amour ; 4) le cigare qui fume termine le cycle de la vie puisque l'homme finira, comme celui-ci, en cendres.

Mais il y a aussi des rébus qui résistent, dont les clés nous échappent, ou qui n'ont pas de clés du tout.

La liberté

L'art d'Apollinaire, même s'il suit de temps en temps les règles de la versification française et les lois de la syntaxe, choisit la complète liberté. Ainsi le poète prend-il des distances ironiques avec la poésie classique dans *Lundi rue Christine* :

> Quand tu viendras à Tunis je te ferai fumer du kief
>
> Ça a l'air de rimer

Dans ces vers, « ça a l'air de rimer » parce que les sonorités en « is » et « if » sont proches et ressemblent à une rime interne, mais ça ne rime pas : nous avons simplement une assonance*. Voyez de plus le commentaire léger du poète sur ce qu'il a entendu et ce qu'il transcrit.

La liberté s'installe avec le simultanéisme puisque les logiques temporelles et géographiques n'ont plus cours. Nous respirons, avec *Fumées*, la synthèse d'un éventail des sens :

> Je hausse les odeurs
> Près des couleurs-saveurs

Ainsi que Guillaume l'indique lui-même à propos de la nouvelle esthétique qu'il tente de définir et d'imposer à la fin de la guerre : « L'esprit nouveau est également dans la surprise. C'est ce qu'il y a en lui de plus vivant, de plus neuf. » Ce qu'il signifie aussi dans un des calligrammes, *La victoire*, où il chante à la fois la reconquête du territoire français par les soldats mais aussi la suprématie d'un nouvel art libéré des contraintes académiques, capable de traduire et en même temps de créer un nouveau monde :

> Ô bouches l'homme est à la recherche d'un nouveau langage
> Auquel le grammairien d'aucune langue n'aura rien à dire

Pour une lecture : *Éventail des saveurs*

Introduction

Ce calligramme, qui portait pour titre initial « Éventail des saveurs de guerre par l'œil et le doigt jusqu'à la bouche », est formé de cinq éléments (comme les cinq sens) qui se développent sur la page blanche tel un dessin sur un éventail que l'on ouvre. On y trouve un art de l'ellipse poussé à l'extrême, qui offre de nombreuses possibilités de lectures. Nous en proposons deux.

1 – Un art pictural

Voici quelques objets que l'écriture dessine : un revolver, un œil, les ailes d'un oiseau et deux bouches. La stylisation est extrême et n'est pas sans rappeler l'art des cubistes. Vous regarderez les oiseaux de Georges Braque auxquels ressemble beaucoup notre « petit oiseau ». Apollinaire crée un effet pictural à la fois par la mise en forme des vers (l'œil peut être considéré comme un alexandrin*) et les mots qu'il emploie en pictogramme*, mais encore par un emploi grammatical de la langue sans verbe qui donne un sentiment d'abstraction et d'immobilité.

2 – Éventail des sens

Nous avons ici plusieurs sens : l'ouïe, la vue et le toucher. Nous constatons aussi plusieurs significations flottantes. Il semble bien que le doigt, appuyant sur la détente, ait libéré des balles (les « atolls », petites îles essaimées sur la mer comme les balles criblant une cible). L'œil voit la métamorphose des couleurs dans son œil qui lui-même change de coloration en fonction de la lumière ; la première bouche est définie par les lèvres et la langue (« tapis de la saveur ») ainsi que par la voix (« sons obscurs ») alors que la seconde fait référence aux sons d'un « phonographe » et d'un « mirliton » (un flûtiau). Apollinaire propose un savoureux jeu de mots puisqu'il laisse entendre que ses vers sont des « vers de mirliton », autrement dit de mauvais vers. Un exemple : l'« aloès » qui vient sans que l'on sache pourquoi (à moins qu'il ne fasse référence au séjour du poète en Algérie quand il part voir Madeleine, mais cela n'est pas explicite et le lecteur ne peut le savoir).

Conclusion

Ainsi que l'énonce son titre, ce calligramme composé offre une palette de plusieurs éléments hétérogènes, liés entre eux mais n'imposant pas de signification globale. Contrairement à *Paysage*, il est difficile de donner un sens précis à l'ensemble. Et Apollinaire semble nous mettre en garde contre la volonté de trouver une unité à ce qui n'en a peut-être pas : les cinq éléments sont eux-mêmes comme des atolls disséminés sur la page blanche, et chacun émerge en des vers rapidement jetés sur la feuille, des vers dont la désinvolture même marque bien un nouveau statut de la poésie pour Apollinaire.

à vous...

1 – Explication – Comment comprenez-vous le dernier poème du recueil, *La jolie rousse*? Par quelle image Apollinaire ferme-t-il ses *Calligrammes*? Ce poème vous semble-t-il dans le prolongement des autres poèmes?

2 – Atelier d'écriture
– Choisissez un poème d'Apollinaire qui n'est pas sous forme de calligramme et, par la technique du couper-coller ou encore sous forme manuscrite, transformez-le en calligramme.

– Choisissez un thème (la guerre par exemple) et composez un calligramme avec des éléments linguistiques mais aussi purement graphiques. Composez-le à partir des différentes langues que vous connaissez.

Bilans

La beauté synthétique

Apollinaire et la modernité

Les *Calligrammes* doivent certainement leur modernité à la révolution culturelle et au traumatisme que représente la Première Guerre mondiale. Ils empruntent à cette dernière une technologie ainsi qu'un vocabulaire, et participent au mouvement de l'histoire en traduisant la vitesse qui caractérise l'époque. Le poème simultané multiplie les espaces et les temporalités, le calligramme adapte, dans la poésie, les innovations typographiques et transpose, dans l'écriture, la reproduction par photographie.

À la pointe de la modernité, Apollinaire fait feu de tout bois : du câble télégraphique aux innovations futuristes et cubistes. Mais il ne tend pas vers la nouveauté comme vers une nouvelle idole : la tradition a en elle un potentiel qui ouvre sur l'avenir.

La beauté comme promesse

L'art d'Apollinaire ne cherche pas uniquement à coller à la modernité. Il veut la traduire et en découvrir la beauté. Plus encore, il tend à la dépasser pour être le prophète des beautés à venir. Ainsi le projet apollinarien est-il une forme d'humanisme* : tisser un lien entre le passé et l'avenir, proposer une vision de l'homme mais encore devancer les hommes comme un porte-flambeau pour leur offrir la possibilité de découvrir une nouvelle réalité. Apollinaire reprend, mais tout à fait métaphoriquement et avec beaucoup d'ironie, l'image de la cartomancie ou de l'art divinatoire (*Les collines*) :

Où donc est tombée ma jeunesse
Tu vois que flambe l'avenir
Sache que je parle aujourd'hui
Pour annoncer au monde entier
Qu'enfin est né l'art de prédire

L'art de prédire est avant tout une mise en forme et une traduction d'une réalité qui n'a pas encore été découverte mais que le poète a la capacité de voir, de créer. Dès 1906, Apollinaire envisage le but de la poésie comme envolée vers la surréalité :

« Je suis pour un art de fantaisie, de sentiment et de pensée, aussi éloigné que possible de la nature avec laquelle il ne doit rien avoir de commun. C'est, je crois, l'art de Racine, de Baudelaire, de Rimbaud. **»**

Avec les *Calligrammes*, la surréalité surgit de l'écriture qui prend le langage en diagonale grâce au pictogramme*, au couper-coller, aux cartes postales, aux poèmes-conversations, pour révéler un monde que la poésie jusque-là n'avait pas exploré.

La beauté en tous sens

Toute la poésie d'Apollinaire joue sur **le** et **les sens**, ainsi qu'il le fait dans les poèmes à travers jeux de mots, rébus, mots ou expressions à entendre en deux ou trois acceptions différentes… Les *Calligrammes* sont une expérience du sens :
– les cinq sens qui offrent à l'homme le plaisir esthétique (*Éventail des saveurs*) ;
– la sensualité dans la relation affective et amoureuse avec les femmes aimées ainsi que les amis et les camarades de combat (*La jolie rousse, C'est Lou qu'on la nommait*) ;
– le sens du poème qui cache et dévoile en même temps le sens du monde.

Dans *L'inscription anglaise*, on trouve deux jeux de mots qui se super-posent. Quelle est la « calligraphie sylvestre et vernale » que le soldat grave dans l'air avec la fumée d'eucalyptus ? Apollinaire nous en donne la clé :

Le jeu de mots bilingue que ne manque point de *susciter* [...]

Ce jeu de mots est « cité » au-dessus : à nous de le trouver dans les vers qui précèdent. Quel est donc ce mot bilingue que le soldat n'ose dire ? Avez-vous trouvé ? Le poilu est amoureux et le poème reprend le verbe « se lover » pour signifier en anglais son amour, *love*. Voilà l'esprit facétieux d'Apollinaire. Mais ces jeux de mots ne sont pas simplement des amusements. Ce même travail sur des étymologies et des langues étrangères permet au poète de dire certaines choses que la morale ne lui permettrait pas d'exprimer clairement. Ainsi dans *Refus de la colombe* avons-nous une « renonciation [...] charmante et sade » où « sade » peut se traduire de l'anglais en français par « triste ». Mais derrière ce jeu se cache un autre sens, plus grave et plus douloureux, qui convient bien à l'image de cette colombe poignardée et de cette Passion où la cruauté se dessine en parallèle à l'amour. Sade est alors à comprendre tout aussi bien en rapport avec l'adjectif anglais qu'avec le nom propre de l'écrivain Sade à partir duquel on a créé le mot « sadisme ».

La beauté libérée

Apollinaire provoque une libération de la poésie dans les jeux hétérométriques*, dans la syntaxe déliée de la ponctuation, mais aussi dans l'emploi d'un vocabulaire qui s'enrichit au contact de tous les niveaux de langue. Apollinaire ose dire la crudité du désir (*Fusée*), la dure réalité du racisme des généraux et politiques français de l'époque (*Les soupirs du servant de Dakar*), les expériences de la drogue (*La mandoline, l'œillet et le bambou* relate l'expérience de l'opium dont il a fait usage avec Lou à Nice)... Cependant le dernier poème nuance cette liberté : si la poésie a la capacité de tout dire, si le poète est de tous les hommes celui qui a le don de tout voir, il n'en reste pas moins que la poésie est faite pour les hommes et que ceux-ci ne sont pas toujours prêts à entendre une autre vérité, à voir une autre beauté. Quelle que soit cette censure que subit le poète, il n'empêche que « la beauté de la vie passe la douleur de mourir ».

La beauté ouverte

Apollinaire est le nouveau héraut de la modernité, le chantre de l'Esprit nouveau, de la surréalité qui va bientôt conduire au surréalisme* après la guerre. Mais il sait que la beauté ne lui appartient pas. Non dogmatique, le poète envisage que chacun doit construire son propre univers : « Mais on ne découvrira jamais la réalité une fois pour toutes. La vérité sera toujours nouvelle. »

Les *Calligrammes* sont l'expérience d'une beauté poétique ouverte comme une plaie béante par la Première Guerre mondiale. Ils contiennent des éléments spécifiques liés à la vie dans les tranchées, à l'exposition devant la mort. Apollinaire exige un art personnel libéré des lois canoniques : son recueil est à la fois un art poétique, une œuvre d'art et un journal de guerre. La beauté selon Apollinaire est une beauté saignante à l'image du « laurier fleur guerrière » : elle saigne de la colombe poignardée (la paix, la femme), du sang des soldats déchiquetés par les obus, elle saigne du cœur d'Apollinaire devant la fuite de ses amours.

La beauté poétique, picturale appartient à chacun. Il suffit de chercher à la découvrir : « le mystère en fleurs s'offre à qui veut le cueillir » (*La jolie rousse*). Ainsi l'art est à l'image de la fenêtre qui s'ouvre « comme une orange / Le beau fruit de la lumière » (*Les Fenêtres*), puisqu'elle libère la vue du poète, du peintre, du soldat, du lecteur qui décide de participer à l'expérience, à tous ceux qui, devant tant de grâce, saisis un instant par le lyrisme apollinarien, peuvent dire (*De la batterie de tir*) :

Ô nous les très belles couleurs

Des calligrammes après *Calligrammes* : l'enchanteur dessinant

Apollinaire a composé de nombreux calligrammes qui ne figurent pas dans notre recueil. En voici deux, par exemple. Après les avoir déchiffrés, trouvez-leur un titre :

E
Trange maison sans portes et
venir
Qui l a
blau dain,
me le dé
gret
le re
Apolli avec
nai poètes
re et
peintres
ooo
100
qui se homme à Montparnasse sont ou vivent

T
er
ri
Boxeur ble
a
Boxant v
e
c
ses et ses
sou mul
ve le
nirs dé
s sirs

Annexes

De vous à nous

Les ateliers d'écriture (p. 70, 122, 176, 204)

La pratique de l'atelier d'écriture vous permet de travailler, de réfléchir individuellement ou collectivement sur la littérature. Par son innovation, l'œuvre d'Apollinaire se prête à une appréhension différente de la littérature. Il faut à la fois la vivre et savoir intégrer une connaissance culturelle. Les poèmes proposés sont des expériences humaines avant d'être des documents scolaires présentés pour une évaluation. Aussi faut-il les vivre comme l'aurait fait Apollinaire lui-même, en vibrant, en aimant, en détestant, en en parlant, en rêvant, en lisant et en écrivant. L'atelier d'écriture vous demande d'organiser votre temps entre réflexion, analyse et production. Il peut se faire à l'intérieur du cours mais peut aussi avoir de très heureux prolongements chez vous entre amis. Imaginez un atelier d'écriture sur des poèmes-conversations, des calligrammes à partir desquels vous approfondissez l'expérience de l'écriture qu'eut Guillaume et à travers lesquels vous pouvez vous exprimer.

Arrêt sur lecture 3 (p. 176)

1 – Explication

Introduction :

Ce poème, construit à partir d'une énumération d'objets et d'actions annoncés par le présentatif *Il y a*, chante sous la forme d'une litanie* la diversité du monde traduite par de multiples évocations de lieux (l'Inde, le Mexique, le front) et de personnes (le «prisonnier boche», «un capitaine», des femmes). Derrière le caractère volontairement triste se cache un lyrisme* doux qui contraste avec une véritable violence : c'est par des périphrases ou des litotes* que le poète raconte l'horreur de la guerre.

Développement :

– Un monde concret : Le poème se développe sous la forme d'un catalogue d'éléments hétérogènes et le plus souvent concrets : la selle du poète qui est mouillée par la pluie, mille sapins brisés par des obus, des prisonniers… À ces éléments renvoyant directement à l'expérience du poète au front s'ajoutent des événements éloignés mais simultanés : loin du théâtre de la mort que sont les plaines champenoises se trouvent des femmes mexicaines qui demandent du maïs, des Hindous qui s'étonnent de la vie occidentale. Enfin, Apollinaire évoque le lien qui existe entre tout cela et son amour qui est un événement parmi d'autres.

– L'art de la litote* : Il peut paraître surprenant que la guerre soit traitée comme un événement qui n'a pas plus de prix ou ne suscite pas plus de réaction que d'autres. En fait, Apollinaire évoque subtilement une peine immense, si grande qu'elle ne peut se dire : ainsi parle-t-il des morts sans les nommer, par périphrase en constatant simplement le fait que des soldats scient des planches pour les cercueils. Le poème se termine par une litote : « Car on a poussé très loin durant cette guerre l'art de l'invisibilité ». Ce vers contient un double sens : en premier lieu, il fait référence aux souterrains, tranchées, boyaux construits par les troupes pour circuler et vivre au front à proximité de l'ennemi sans se faire voir de lui. Ainsi peut-on comprendre l'étonnement des Hindous devant cet art savant du camouflage grâce auquel l'on ne voit pas de soldats sur le terrain de combat. Mais l'invisibilité représente aussi la mort : jamais on n'a poussé aussi loin que durant cette guerre l'art de tuer des hommes, de les faire disparaître en les ensevelissant sous la terre et la boue, de les pulvériser à l'aide d'une bombe. Ainsi les soldats sont devenus « invisibles ». Preuve en est le « cimetière plein de croix à 5 kilomètres », seule trace des soldats morts et enterrés là.

Conclusion :

Il y a évoque les morts avec pudeur et fait le constat accablant mais aussi étonnamment optimiste de la place de la guerre dans le monde. C'est que rien ne peut dire son horreur, elle semble n'être qu'un événement dans le cours de l'univers. Comme très souvent chez Apollinaire, joie et deuil se retrouvent liés.

Arrêt sur lecture 4 (p. 204)

1 – Explication

Introduction :

Ce poème terminal est complexe : Apollinaire y dresse un constat et récapitule ce qu'il a vu, ce que la guerre lui a « apporté ». Ainsi ce poème est-il à la fois une déclaration d'amour pour Jacqueline, la femme qu'il épousera et que l'on nommait Ruby (ou « la jolie rousse »), mais aussi un art poétique qui synthétise ce que le poète a voulu, ce vers quoi il tend. Ce texte étant conclusif, il est intéressant de l'étudier en rapport avec *Liens* qui, lui-même en ouverture du recueil, était une sorte d'art poétique où Guillaume précisait ce à quoi il restait lié et ce dont il se libérait. Il faudra aussi considérer pourquoi Apollinaire termine sous forme de prière. Voici quelques pistes qui tentent d'éclairer ce poème :

Développement :

– Poème d'amour : L'amour apparaît tardivement dans ce poème, mais pour avoir plus de poids puisqu'il est développé dans la deuxième partie. L'amour est défini en « Raison ardente » et s'oppose aux erreurs des hommes et à celles du poète. La jolie rousse représente à la fois la passion et la raison, comme si le poète voulait signifier que l'amour peut être une forme de sagesse supérieure.

– Poème-prière : Le poème est aussi l'expression d'une prière. Le poète se présente devant le lecteur comme il se présenterait devant Dieu à sa mort. Il fait le bilan de sa vie et demande miséricorde (« Pitié pour nos erreurs »). Le lecteur est d'ailleurs rapproché de la figure divine (« Vous dont la bouche est faite à l'image de celle de Dieu »). Mais la comparaison est en faveur de l'homme et non de Dieu : c'est à l'homme, au lecteur, que le poète demande d'avoir pitié de lui pour ce qu'il a chanté et ce qu'il n'a pu dire.

– Art poétique : Bilan d'une vie, le poème est aussi un bilan poétique et le moment où le poète peut affirmer son credo. Ainsi dit-il précisément qu'il est à la fois homme du passé et homme d'avenir, homme de la « tradition » et homme de l'« invention ». La poétique d'Apollinaire est explicitée : c'est une aventure humaine où l'homme tente de découvrir le « mystère en fleurs », les « feux nouveaux des couleurs », où il s'attache à créer une nouvelle réalité.

– Cycle : Le poème clôt le recueil mais fait aussi écho à *Liens*, le texte d'ouverture. *La jolie rousse* reprend le même thème, le réactualise mais indique aussi qu'il y a eu une évolution dans la pensée du poète. *Liens* chante la nécessité de se dégager de toutes les attaches pour aller vers des expériences nouvelles, pour se détacher du souvenir et de tout ce que le poète aime encore. Avec l'expérience de la guerre, Apollinaire sait qu'il faut se libérer des liens trop contraignants (comme de la cravate qui étrangle l'homme), mais cette libération n'a de prix que si elle prend en charge tout ce qui, dans le passé, donne du poids et de l'intensité au présent et créera de la beauté dans l'avenir.

Conclusion :

Synthèse d'un art poétique et d'un art de vivre, *La jolie rousse* mêle à la fois des pensées optimistes sur l'amour, une conception de la fonction poétique qui est de créer le monde, et enfin une note plus pessimiste et douloureuse quant à la réalisation totale de cet art : Apollinaire sait que la poésie n'exprime qu'une partie de la réalité du monde et que son pouvoir sur les hommes est ténu car, même si la poésie peut tout dire, le poète n'a de droit que sur une vérité personnelle, sur celle qu'il voit dans l'avenir et qui n'a de poids que dans la communauté des lecteurs.

Glossaire

Alexandrin : vers de douze syllabes qui fut tout particulièrement utilisé en France. Son nom vient du *Roman d'Alexandre*, œuvre du XIIe siècle écrite en vers de douze syllabes.

Allégorie : représentation d'une entité abstraite par un être animé ; narration ou description métaphorique dont les éléments sont cohérents et qui représentent une idée générale.

Ars nova : esthétique musicale et littéraire du XIVe siècle, créant un art complexe et fondé sur la spéculation intellectuelle.

Assonance : répétition d'une même voyelle dans une phrase ou dans un vers (ou plusieurs vers contigus). La répétition des consonnes se nomme « allitération ».

Cocardier : synonyme de chauvin et de militariste. L'adjectif est construit à partir de l'image de la cocarde qui représente l'insigne tricolore porté par les révolutionnaires et qui symbolise la République française.

Dadaïsme : mouvement dada, révolutionnaire, né en 1916. Il prôna le refus de toutes les lois esthétiques antérieures et fit éclater les conventions. On lui doit l'écriture automatique.

Démiurge : le créateur et animateur du monde.

Djinn : esprit de l'air dans la culture arabo-persane ; quelquefois bon, mais le plus souvent mauvais génie.

Épitaphe : inscription funéraire.

Fauvisme : mouvement pictural qui naît vers 1900 et qui utilise des couleurs pures en jouant de leurs violents contrastes.

Hétérométrique : relatif au poème qui est construit sur des vers n'ayant pas le même nombre de syllabes.

Humanisme : mouvement intellectuel né à la Renaissance qui tend à relever la dignité de l'esprit humain, cultiver l'homme à travers un retour aux textes littéraires et philosophiques gréco-latins.

Idéogramme : signe graphique minimal qui constitue dans certaines langues un mot ou une notion.

Litanie : prière liturgique fondée sur la répétition.

Litote : figure de rhétorique qui consiste à atténuer l'expression de sa pensée pour faire entendre le plus en disant le moins.

Lyrisme : mode d'expression qui traduit une manière passionnée de sentir, de voir le monde et de vivre. Dans l'Antiquité, la poésie lyrique était chantée et accompagnée par des instruments.

Métaphore : figure de rhétorique qui introduit une image construite sur une relation entre plusieurs mots dont le lien logique n'est pas mentionné, ou sur une opposition sémantique entre un mot et son contexte.

Métrique : relatif au système qui régit les règles touchant au vers ; se dit aussi de ce qui a trait au nombre de syllabes dans un vers.

Octosyllabe : vers de huit syllabes.

Onomatopée : création d'un mot qui tente de suggérer par imitation sonore la chose qu'il représente.

Pictogramme : dessin figuratif stylisé qui fonctionne comme un signe d'une langue écrite et qui ne transcrit pas la langue orale.

Surréalisme : mouvement issu du dadaïsme qui veut libérer l'art du contrôle de la raison et qui utilise l'automatisme, le rêve et l'inconscient comme forces créatrices.

Symbolisme : mouvement poétique et littéraire qui fonde l'art sur une vision symbolique et spirituelle du monde.

Topos : mot hérité du grec qui signifie « lieu ». Le topos littéraire est une image ou une expression qui revient souvent dans la littérature et qui est reconnue comme élément esthétique.

Bibliographie

Pour connaître la vie et l'œuvre de Guillaume Apollinaire

Michel Décaudin, *Apollinaire*, Livre de Poche, 2002.
Daniel Oster, *Guillaume Apollinaire*, Seghers, « Poètes d'aujourd'hui », 1975.
Pascal Pia, *Apollinaire,* Le Seuil, 1988.

Pour approfondir votre connaissance des Calligrammes

Laurence Campa, *L'Esthétique d'Apollinaire*, SEDES, 1996.
Claude Debon, *Guillaume Apollinaire après Alcools, I.* Calligrammes, Bibliothèque des Lettres modernes, 1980.
Marie-Louise Lentengre, *Apollinaire. Le Nouveau Lyrisme*, Jean-Michel Place, « Surfaces », 1996.
Pénélope Sacks-Galey, *Calligramme ou Écriture figurée. Apollinaire inventeur de formes,* Lettres modernes Minard, 1989.

Allons au concert !

Apollinaire a inspiré un certain nombre de compositeurs. Vous pouvez donc écouter quelques poèmes et calligrammes mis en musique :

Francis Poulenc

Le Bestiaire ou Cortège d'Orphée (Le Dromadaire, La Chèvre du Tibet, La Sauterelle, Le Dauphin, L'Écrevisse, La Carpe).
Trois Poèmes de Louise Lalanne (nom inventé par Apollinaire – Le Présent, Chanson, Hier).
Quatre Poèmes de Guillaume Apollinaire (L'Anguille, Carte postale, Avant le cinéma, 1904).
Deux Poèmes de Guillaume Apollinaire (Dans le jardin d'Anna, Allons plus vite).
Banalités (Chanson d'Orkenise, Hôtel, Fagnes de Wallonir, Voyage à Paris, Sanglots).
Deux Mélodies de Guillaume Apollinaire (Montparnasse, Hyde Park).
Deux Poèmes de Guillaume Apollinaire (Le Pont, Un poème).

Calligrammes (L'espionne, Mutation, Vers le Sud, Il pleut, La grâce exilée, Aussi bien que les cigales, Voyage).
Rosemonde.
Deux Mélodies (La Souris, Nuage).

Arthur Honegger

Six Poèmes d'Apollinaire (À la Santé, Clotilde, Automne, Saltimbanques, L'Adieu, Les Cloches).

Vous trouverez ces œuvres interprétées par de très grands artistes dans les *Mélodies et chansons de Francis Poulenc*, EMI classics, 1999 ; *Arthur Honegger, Les Mélodies*, Timpani, 1992.

TABLE DES MATIÈRES

ÉTENDARDS

CASE D'ARMONS

LA TÊTE ÉTOILÉE

Dans la même collection

Lycée – Texte et dossier

NOTES